Özgen Ergin
Charlie Kemal

GEFÖRDERT VOM
KULTUSMINISTERIUM
DES LANDES
NORDRHEIN-WESTFALEN
NRW.

Özgen Ergin

Charlie Kemal

Erzählungen

Dittrich Verlag

© 1992 Dittrich-Verlag
Alle Rechte vorbehalten
Lektorat: Suzanne Legg
Umschlaggestaltung: Volker Dittrich
Titelfoto: Willi Siefener
Yorckstr. 32, 5000 Köln 60
Tel. 0221-7602912, Telefax: 769512
ISBN 3-920862-01-5

Übersetzung aus dem Türkischen:
Özgen Ergin unter Mitarbeit
von Thomas Wenzler

Rosen im Dezember

Wo sich Neusser Straße und Nelkenstraße kreuzen, feierte man 1988 das fünfzigjährige Bestehen der Kneipe 'Löwenzahn'. Die über der Eingangstür befestigten, bis auf den Bürgersteig herabhängenden Fahnen begrüßten Stammgäste und neue Kunden. Lichtkränzen gleich waren die Fenster zur Straße mit Glühbirnen behängt. Sie tauchten die Fassade der Kneipe in grelles Licht, gerade so, als wäre es heller Tag.

Im Schankraum war es überfüllt. Inmitten der Menschenmenge stand ein kleiner alter Mann mit schwarzem Mantel, den Kragen hochgeschlagen. Seine fettig glänzende Brille hatte dicke, runde Gläser.

Der unbekannte Mann erregte keine Aufmerksamkeit. Er schaute die junge Frau an, die das Bier zapfte. Ihre Blicke trafen sich nicht. Nach einer Weile stellte er sich auf die Zehenspitzen und sagte mutlos: "Ein großes Kölsch!"

Mit viel Mühe nahm er sich über mehrere Schultern hinweg das Bierglas von der Theke. Er halbierte zügig den Inhalt des Glases und setzte seine Brille ab. Kurzsichtig starrte er auf die Frau.

Neun Tage vor dem Jahreswechsel war die junge Frau, wie auch alle anderen Beschäftigten im 'Löwenzahn', in den modischen Farben von Achtunddreißig gekleidet.

Der Mann kramte ein schwarzes Taschentuch hervor und putzte schnell seine Brille. Nachdem er sie wieder aufgesetzt hatte, sah er im funkelnd leuchtenden Licht die Farben noch klarer. Er lächelte und gab Zeichen für ein zweites Bier.

Ohne sich um die Menschen zu kümmern, die ihn ummauerten, wollte er die Theke erreichen. Mit letzter Anstrengung streckte er die linke Hand nach dem Tresenrand aus. Ein junger Mann auf einem langbeinigen Hocker machte ihm lächelnd Platz, malte mit der Hand einen Halbkreis in die Luft und zeigte auf den Hocker. Mit einer Flinkheit, die man von einem Mann in seinem Alter nicht erwartet hätte, kletterte der Alte auf den Hocker und trank sein zweites Kölsch.

Die junge Frau arbeitete mit einer ungeheuren Geschwindigkeit. Sobald ein Glas leer war, setzte sie ein neues auf die Theke. Nebenbei spülte sie Biergläser und stellte sie akkurat nebeneinander unter den Zapfhahn des Fasses. Kein Tropfen wurde verschwendet. Ein halbmondförmiger Schweißfleck störte die Eleganz ihrer weißen Bluse. Die Taille ihres gekräuselten, langen Rockes hatte sie so eng wie nur möglich zusammengezogen. Ihre vollen, aneinanderreibenden Brüste ragten zur Hälfte aus dem etwas gewagten Dekolleté hervor, bebten beim schwungvollen Spülen der Gläser. Das goldene Kreuz, das die Frau an einer Halskette trug, verschwand und tauchte wieder auf.

Die überaus zahlreich erschienenen Gäste konnten wegen der lauten Marschmusik nicht miteinander ins Gespräch kommen. Ob sie redeten oder nicht: sie hörten sich nicht. Sie versuchten, sich mit Mimik und Gestik zu verständigen, ließen ihre Hände und Arme mitschwingen und bewegten dabei ihre Köpfe nickend, als ob sie sich verstünden. Ja-Ja-Sager gab es viele.

Der kleine alte Mann vergaß, wieviel Bier er schon getrunken hatte. Wie von einem warmen Regen angeregt, entstanden in ihm immer neue Verse über die Brüste der jungen Frau.

Als der Abend wie gewöhnlich zur Mitternacht

sagte: "Warte noch fünf Minuten!", betrat mit der gleichen Regelmäßigkeit die greise Blumenverkäuferin die 'Löwenzahn'-Kneipe. Mit einem Korb voller blutroter Rosen an ihrem Arm versuchte sie, sich einen Weg durch die Menge zu bahnen. Ihre grauweißen Haare waren stark gelichtet. Wenn das Licht des runden Spiegelglobus' von der Decke auf sie fiel, glänzte ihre rosa Kopfhaut. Sie trug einen großen Herrenmantel. Ihre Socken guckten vorwitzig über den dickbesohlten Schuhen hervor; sie hatten sich, wie immer, an ihren kraftlosen Fußknöcheln aufgerollt. Ihre Nase war vom Alkohol - vielleicht war es auch nur die Dezemberkälte - stark gerötet. Auf den blassen Wangen waren dunkelblaue, dünne Bahnen sichtbar. Ihre Haut hatte schwarze Flecken mit kurzgeschnittenen, weißen, kaktusähnlichen Haaren.

Schlurfend kam sie auf den Mann zu und blieb neben ihm stehen. Mit kleinen unbeholfenen Gesten begannen sie, sich miteinander zu unterhalten. Der Mann bestellte einen Cognac und ein Bier. Das dünne, lange Bierglas und das schwangere Cognacglas küßten sich. Im Kneipenlärm war das aber nur für die beiden alten Leute hörbar.

Die Augen des Mannes blieben am Blumenkorb, an den zur Blüte bereiten Rosenknospen hängen. Er setzte seine Brille ab: Die grünen, schamlosen Blätter verschmolzen vor seinen Augen mit den roten, seidigen Blüten. Wohlig breiteten sie sich aus, umschlangen sich und drangen ineinander ein. Er setzte die Brille wieder auf. Der ganze Zauber war verflogen; nüchtern wie ein fotografisch exaktes Abbild streckten die Rosen ihm ihre Knospen entgegen.

Der Mann rieb Daumen und Zeigefinger aneinander, so, daß es nur die alte Blumenverkäuferin sehen konnte. Mit dem Kopf deutete er auf den Korb. Dann legte er die flache Hand ans Ohr und ließ den Kopf auf die Schulter sinken. Er schloß die Augen, und die Blumenverkäuferin lächelte glücklich. Mit ihren weißgewordenen, lückenhaften Wimpern, die an Leuchtkraft eingebüßt hatten, sagte sie: "Ja."

Sie nahm das Geld und steckte es in ihre Tasche. Ihre blaugeäderten Finger preßte sie innig an den rechten Arm des Mannes, drehte sich um, bahnte sich dann einen Weg durch die lärmende Menge und verließ, die Füße langsam hinter sich herziehend, die Kneipe.

Der kleine alte Mann saß noch immer auf dem langbeinigen Hocker. Seinen riesengroßen Rosen-strauß hielt er über die Theke. Zusammen mit den langstieligen Rosen, die eine Handbreit seinen Kopf überragten, bot er ein komisches Bild. Plötzlich traf sein Blick auf den der jungen Frau. Blitzartig über-reichte er ihr den Strauß. Etwas verunsichert schaute sie mit fragendem Blick zurück, aber ihr Gegenüber drückte die Finger auf die Lippen, machte "Pssst!", bezahlte die Rechnung und rutschte flink vom Hocker. Noch einmal zwinkerte er hinter seiner dick-verglasten Brille und ging mit leuchtenden Augen fort. Im Menschengewühl der Kneipe verlor die junge Frau ihn schnell aus den Augen.

Als er aus der Eingangstür des 'Löwenzahn' trat, stieß er auf zwei kräftige Männer in blitzblanken, weißen Krankenpflegerkitteln. Auf dem Bürgersteig war ein Krankenwagen mit blinkendem Blaulicht ge-parkt. Mit einem glücklichen Lächeln im Gesicht streckte der alte Mann die Hände aus und sagte:

"Diesmal keine Zwangsjacke! Bitte! Mein Arm tut weh ...!"

Charlie Kemal

Kemal wurde in einem kleinen, wunderschönen Städtchen in Mittelanatolien geboren. Bei seiner Geburt war er ein dunkles, mageres und ausgesprochen kleines Baby. Seine Großmutter war es, die ihn als erste im Arm hielt und dabei ihre schöne, große Tochter mitleidig ansah und sagte: "Dieser dunkle, faustgroße Wurm paßt überhaupt nicht zu meiner Ayse." Der Großvater behielt seine Freude über das neugeborene Enkelkind für sich und sagte nur: "Was ist das nur für ein Junge, der klein ist wie ein Hundebaby und die Augen noch geschlossen hat!"

Kemals Vater arbeitete zu dieser Zeit in der Fremde, in Istanbul, und konnte so nicht bei der Geburt dabei sein. Und selbst später hat keiner von beiden den anderen jemals zu Gesicht bekommen. Niemals kam auch nur eine Nachricht vom Vater, und niemand konnte sagen, was er tat und wie es ihm ging. Es gab Gerüchte, er sei nach Deutschland gegangen, doch darauf gab Kemals Mutter nichts, und sie lebte weiter in der Hoffnung, daß ihr Mann eines Tages zurückkäme. Deshalb hat sie auch nicht daran gedacht, wieder zu heiraten.

Wer hätte sich vorstellen können, daß dieser kleine Kemal, der es keine neun Monate im Leib seiner Mutter aushalten konnte und schon nach sieben Monaten, mit den Armen und Beinen strampelnd, zur Welt gekommen war, einmal der größte und auch bestaussehende junge Mann im Ort werden sollte?

Kemal wurde von seinen Angehörigen viel Zuneigung und Aufmerksamkeit zuteil, und so wuchs er heran und kam ins Schulalter. Kemal erwies sich als guter Schüler, und in den Sommerferien ging er bei seinem Großvater in die Lehre. Er lernte, das rotglühende Eisen mit dem Hammer auf dem Amboß zu formen und rechtzeitig ins Wasser zu tauchen. Bald war er in alle Geheimnisse des Schmiedehandwerks eingeweiht. Man nannte ihn seither "Schmiede-Kemal".

Die Erfolge in der Grund- und Mittelschule konnte Kemal auf dem Gymnasium nicht fortsetzen. Es war in der zehnten Klasse, als Kemal sich das erste Mal verliebte. Anstatt zu lernen, schrieb Kemal Gedichte und sang für sein Mädchen. So kam es, daß Kemal nicht versetzt wurde. Er ging von der Schule und arbeitete in der Schmiede seines Großvaters, der mit seinem krummen Rücken und wegen seines Alters den schweren Beruf des Schmieds nicht mehr ausüben konnte und auf Kemal und zwei Lehrlinge völlig angewiesen war.

Kemal mußte jeden Tag bis spät in die Nacht in der Schmiede arbeiten, wobei sein Körper muskulöser wurde. Seine Schultern wurden breiter, und sein Auftreten wurde das eines Mannes. Er begann, eine gleich schöne Frau für sich zu suchen.

Wie alle anderen jungen Männer in der kleinen Stadt mußte auch Kemal zum Wehrdienst. Die ersten vier Monate war er im Südosten Anatoliens stationiert, die restlichen sechzehn Monate verbrachte er im wunderschönen, vielgepriesenen Istanbul und genoß die Großstadt mit dem schönen blauen Meer, das als Meerenge das Schwarze Meer mit dem Marmarameer verbindet.

Nach seiner Rückkehr in die kleine Stadt gefiel es Kemal nicht mehr, als Schmied zu arbeiten, und so wollte er auch nicht mehr "Schmiede-Kemal" genannt werden. Er verschloß die Schmiede mit einer Kette und einem starken Vorhängeschloß, das schnell vom Rost befallen war. Die Fremde und besonders die große Stadt Istanbul hatten Kemal verändert. Er war stiller geworden, ganz anders als früher. Den freundlichen, immer zu Scherzen aufgelegten Kemal gab es nicht mehr.

Morgens verließ Kemal das Haus, um ins Café zu gehen. Er setzte sich in eine Ecke, trank Tee, und nichts, was um ihn herum geschah, berührte ihn. Er interessierte sich nicht mehr für all die anderen Männer im Cafe, die Karten, Backgammon und Domino spielten und sich dabei unterhielten. Kemal saß nur da, und sein Blick ging weit in die Ferne, zum Berg "Ismail Baba" und zu den ziehenden Wolken. Hin und wieder schaute er zur Erde, wo er die Ameisen, die zu Tausenden im Schatten einer Trauerweide ihren emsigen Beschäftigungen nachgingen, beobachtete. Einmal, nachdem er gerade sein drittes Glas Tee geleert hatte, stand er plötzlich auf, ging über die Brücke und verschwand in Richtung der Felsenhöhlen.

In der kleinen Stadt erzählte man, Kemal sei so verändert, weil sich seine erste Liebe nicht erfüllt habe. Aber das war nur so eine Redensart, und niemand konnte verstehen, woran es denn nun lag. Kemal war sehr unzufrieden. Tag für Tag fühlte er sich unwohler in seiner kleinen Stadt, und es bedeutete ihm nichts, daß die schönsten Mädchen des Ortes ihm nachliefen und ihn die anderen jungen Männer um sein gutes Aussehen beneideten. Kemal wollte weg von diesem Ort, vielleicht nach Istanbul oder aber sogar nach Deutschland - Hauptsache weit, weit weg in die Ferne.

Die Jahreszeiten kamen und gingen, und nun brach wieder ein neuer Sommer an. Die Frühlingsblumen waren verwelkt und hingen vertrocknet an ihren Stielen. Die Sonne hatte die Früchte reifen lassen, und die Äste der Obstbäume wurden durch ihre Last bis auf die Erde gezogen. Die Vögel warteten an schattigen Plätzen auf das Ende der Mittagshitze, und der seltene Wind blies die trockenen Samen der Wiesenblumen aus dem Tal heraus in die kleine Stadt, vorbei an den Straßencafés und über die Brücke bis hin zum Marktplatz, wo sie sich mit Staub vermischten und auf den Berg "Ismail Baba" weitergeweht wurden, um dort in den kühlen Höhlen der rostroten Felsen zu verschwinden.

Es wurde Juli, und die Hitze war nicht mehr zu ertragen. Wie immer um diese Zeit veränderte sich auf einmal das Leben in der kleinen Stadt, denn der Teil der Stadtbewohner, der in Deutschland arbeitete, machte in diesem Monat Urlaub. Sie fuhren mit lauten Hupkonzerten in die Stadt. Es klang, als würde eine Hochzeit gefeiert - und tatsächlich war ihre Ankunft auch fast wie ein Fest. Anstatt sich von der langen Fahrt zu erholen, fuhren sie am Tag nach ihrer Ankunft mit ihren oft nagelneuen Autos kreuz und quer durch die Stadt. Sie wußten nicht so recht, wie sie ihre Zeit verbringen und was sie während des zumeist fünfwöchigen Urlaubs unternehmen sollten. Viele Gedanken gingen ihnen durch den Kopf: "Welches Grundstück soll ich kaufen?", "Das Haus, das ich bauen lassen werde, soll es ein, zwei oder sogar drei Etagen haben?" oder "Sollten wir in unserer Stadt eine Fabrik errichten oder besser nicht?".

Kemal beneidete alle, die aus Deutschland kamen. Es war ein Freitag. Die Alten saßen nach dem Nachmittagsgebet in den Straßencafés, tranken ihren Tee und sprachen über die Leute aus Deutschland, die mit ihren neuen und bunten Sachen untereinander konkurrierten und sich dadurch von den anderen Bewohnern der Stadt abhoben. Neugierig und mit etwas Wehmut beobachteten die Alten die Leute aus Deutschland.

An der Brücke war Kemal zu sehen. Die alten Großväter stießen sich gegenseitig an und schauten hinüber. Die Brücke stammte noch aus osmanischer Zeit, sie war schmal und hatte hohe Mauern zu beiden Seiten. Die Sonne brannte, und die Luft war so heiß, daß sie flimmerte. Kemals große Gestalt auf der Brücke schien wie dunkelblau gefärbt. Während er näherkam, fielen seine auf Hochglanz polierten schwarzen Schuhe und das naturweiße seidene Hemd ins Auge. Sein dunkler Anzug bestand aus einem dünnen, feinen Stoff und war offensichtlich aus Istanbul.

Kemal schritt, ohne den Blick auch nur einmal nach rechts oder links zu wenden, in Richtung Stadtpark, wo die jungen Leute an den tannenüberschatteten Tischen saßen und sich lautstark unterhielten. Er suchte sich einen abseits gelegenen Platz und beobachtete sie. Eine Gruppe, die direkt am Brunnen saß, weckte seine Aufmerksamkeit. Auf den Tischen standen eine Menge Flaschen, Coca-Cola, Pepsi und Schweppes. In den beschlagenen Flaschen steckten bunte Strohhalme, und die vereinzelt durch die Tannenzweige fallenden Sonnenstrahlen wurden vom Glas auf die Gesichter der Leute, die dort saßen, gespiegelt. Zwischendurch fielen ein paar für Kemal unverständliche deutsche Worte, die mit fröhlichem Lachen quittiert wurden.

Kemal sah mit verstecktem Neid zu den drei Mädchen dort hinüber, zwei dunkelhaarige und ein blondes. Das blonde Mädchen - hier verweilten die Blicke Kemals - war als die schöne Tochter vom "Kölner Yusuf" bekannt. Sie hieß Emel. Sie bemerkte Kemal. Mit einem unsicheren Lächeln schaute sie immer wieder zu ihm herüber. Kemal konnte seine Augen nicht von ihr abwenden. Sie sah aus wie ein deutsches Mädchen, blonde Haare, blaue Augen ...

Am nächsten Tag trafen sich Kemal und Emel heimlich. Sie hatten sich ineinander verliebt, und schon bei diesem ersten Treffen fielen sie sich fast in die Arme.

Emels Vater hatte nichts gegen eine Heirat, ja er

freute sich sogar, seine schon zwanzigjährige Tochter nicht an einen der in Deutschland aufgewachsenen jungen Männer geben zu müssen. Zudem war Kemal in den Augen des Vaters ein anständiger anatolischer junger Mann.

Emels Vater begann anzugeben, und Raki, Wein und Whiskey flossen wie Wasser. Verlobung und Hochzeit wurden in einem Fest gefeiert. So ein Fest hatte die Stadt noch nicht gesehen. Die ganz Stadt, jung und alt, tanzte und feierte drei Tage lang. Nur Kemals Familie fühlte sich etwas beschämt, denn ein derart überschwengliches Fest hätte sie nie ausrichten können.

Die Tage vergingen schnell und der Abschied kam. Emel hatte einen Arbeitsplatz in Deutschland und mußte zusammen mit ihrer Familie zurückfahren. Kaum gefunden mußten sich Kemal und Emel auch schon wieder trennen. Drei Monate später aber erhielt Kemal die Einladung nach Deutschland. Vor Freude konnte er kaum an sich halten.

Er nahm Abschied von seinem Großvater, seiner weinenden Mutter und allen anderen Verwandten. Er fuhr mit dem Bus nach Ankara, von dort flog er nach Köln.

Der erste Blick auf Köln beim Anflug war unvergeßlich. Es war schon dunkel, und die Lichter unter ihm leuchteten wie tausend Kerzen.

Sein Schwiegervater holte ihn ab. Sie verließen den bunt erleuchteten Köln-Bonner Flughafen und fuhren über die Autobahn nach Hause. In einer kleinen Straße lag ihr Ziel, eine Dreizimmerwohnung.

Es war Sonntag. Kemals und Emels Wiedersehensfreude war groß, doch ergab sich keine Möglichkeit, allein miteinander zu sein. Es kamen sehr viele Leute zum obligaten Willkommensbesuch, und so war die Wohnung bis spät in die Nacht hoffnungslos überfüllt. Kemals Sehnsucht wuchs von Minute zu Minute, und er ärgerte sich über die Verständnislosigkeit seiner Schwiegereltern. In

Gedanken schimpfte er auf alle Leute, die kamen.

Fragen über Fragen, jeder wollte etwas anderes von Kemal wissen: "Hat es schon angefangen zu schneien?", "Ich weiß nicht genau, irgendjemand soll gestorben sein, stimmt das?","Wie ist der neue Bürgermeister, ist er gut?", "Wie hoch ist der Lohn für Bauarbeiter, ist er erhöht worden?" Kaum zu glauben, daß sie alle noch vor drei Monaten selbst dort gewesen waren!

Das Videogerät lief ohne Unterbrechung, und ebenso pausenlos wurden die Fragen an Kemal gerichtet, um - Kemals Antwort kaum abwartend - den Blick sofort wieder auf den Bildschirm zu heften. Sobald ein Film abgelaufen war, legten die Geschwister Emels sofort eine neue Kassette ein und wetteiferten in dieser Tätigkeit. Auch wenn die Filme interessant waren und die weiblichen Darsteller sehr schön, so hatte Kemal doch nur Augen für seine Frau, die ununterbrochen für frischen Tee und Kaffee sorgte.

In der Familie verstand Kemal sich nur mit Emel. Die Kinder zeigten oft mit dem Finger auf ihn und tuschelten in deutscher Sprache.

Die erste richtige Enttäuschung erlebte Kemal etwas später. Er lag mit Emel nackt im Bett, und Emel hatte nach Kemals Ankunft einen langen Arbeitstag vor sich. Sie hatten sich mit großer Leidenschaft geliebt und dann die ganze Nacht, oder was davon noch übrig war, wach im Bett gelegen. Kemal schlief ein, und Emel befreite leise ihren Körper aus seinen Armen und küßte ihn sanft auf die Augen. Sie war zwar sehr müde, doch sie mußte sich beeilen, denn sie mußte in fünfzehn Minuten an der Straßenbahnhaltestelle sein. Die Straßenlaternen leuchteten noch, als Emel das Haus verließ und zur Haltestelle lief.

Kemal wurde erst gegen Mittag wach - das erste Erwachen ohne seine Frau. Schwiegervater und Kinder waren auch schon aus dem Haus, und es herrschte eine drückende Stille in der Wohnung. Kemal glaubte zu träumen, bis sein Blick auf den Wandteppich mit der Bosporusbrücke fiel. Er stand auf und ging in die Küche, wo seine Schwiegermutter das Abendessen vorbereitete. An einem Ende des Küchentischs wartete sein Frühstück, Wurst, Marmelade, verschiedene Sorten Käse und vier dünne Scheiben Toast. Statt einer warmen Suppe mit Minze oder eines starken Tees bekam er deutschen Filterkaffee. Kemal setzte sich, verhielt sich ruhig und ließ sich mit dem Frühstück viel Zeit.

Am Abend kam Emel müde und erschöpft von der Arbeit, doch sie konnten sich nicht sofort in ihr Zimmer zurückziehen. Vorher mußten sie noch kochen, essen, spülen, Bettenmachen. Und zuletzt hatten sie sich auch noch das Gerede des Vaters anzuhören, was er getan hatte und was nicht.

Am nächsten Tag wieder dasselbe. Tag für Tag.

Kemal sah sich täglich ein oder zwei Videofilme an, und manchmal ging er nach draußen. So lernte er die Umgebung, die türkischen Cafés und die türkischen Restaurants kennen. Emel meldete Kemal an einem ihrer freien Tage zu einem Deutschkurs an. Nun hatte er eine Aufgabe, und mit Interesse, Fleiß und aller Kraft lernte er Deutsch. Den Anfängerkurs schloß Kemal nach drei Monaten mit großem Erfolg ab. Er meldete sich zum weiterführenden Kurs an und investierte wiederum all seine Kraft. Kam er nach dem Unterricht nach Hause, dann ging er sofort in sein Zimmer, um zu lernen. Er las alle Texte laut, um auch die Aussprache zu verbessern. Emel freute sich sehr über seinen Fleiß.

Im fünften Monat der Deutschkurse - es war beim Abendessen - zählte Emels Vater auf, was er Monat für Monat an Ausgaben habe. Da waren die Miete, die Versicherung für das Auto, Strom, Telefon, die Darlehnsraten, die Ausgaben der Kinder für die Schule und Kemals Deutschkurse. Während dieser Aufzählung sah er abwechselnd einmal auf Kemal

und dann wieder zu Emel. Oder schien es Kemal
nur so?

Kemal regte dieser Monolog seines Schwiegervaters
sehr auf, aber es wäre unpassend gewesen, auf die
Einkünfte seiner Frau hinzuweisen.

Dabei war Emels Arbeit nicht leicht und die Ar-
beitsbedingungen alles andere als angenehm. Sie
bügelte von sieben Uhr morgens bis fünf Uhr abends
Tausende von Hosen, Hemden und Röcken. Aus den
feuchtwarmen Räumen ihrer Arbeitsstätte kam sie jeden Abend hinaus in die nebligkalte Luft von Köln
und wartete frierend auf die Straßenbahn. Wenn sie
dann zu Hause angekommen war, war sie todmüde,
leichenblaß im Gesicht und sprach lange kein Wort.
Kemal suchte vergeblich im Gesicht seiner Frau nach
dem Lächeln, das bei ihrem Kennenlernen in der
Türkei immer geleuchtet hatte. Er konnte auch nicht
mehr fröhlich sein, so wie früher, er konnte nicht frei
sprechen und sah seine Frau nur still und nachdenklich an. Dabei war er ja einmal ein besonders
fröhlicher, lustiger Mensch gewesen. Er hatte andau-
ernd Fratzen geschnitten, er hatte die Alten nachge-
macht, und wenn er wie sein Großvater gebückt und
schwankend schlurfte, hatte es keinen gegeben, der
nicht lachte. Unter seinen Freunden konnte er die
schönsten Witze erzählen, und er wußte die origi-
nellsten Rätsel. Und jetzt? Jetzt wußte er nicht einmal,
was er Emel erzählen sollte, wußte nicht, wie er sie
zum Lachen bringen konnte. Das alles machte ihm
große Sorgen. Und in der überfüllten Wohnung war
es sowieso ein Problem, mit Emel allein zu sein.

Wenn Emels Vater von der Arbeit zurückkam, stellte
er seinen über alles geliebten grasgrünen Wagen vor
dem Haus ab und ging als erstes in die nächste Kneipe. Er kam nicht nach Hause, bevor er nicht betrunken war. Zu Hause schimpfte er dann über dieses
und jenes, und er verteidigte sich, indem er sagte:
"Nur so kann ich die Müdigkeit und den Dreck und
Lärm von der Arbeit vergessen!" Wenn er sich dann

ausgetobt hatte, aß er nicht einmal sein Abendessen und ging mit all seiner Müdigkeit, die wie eine schwere Decke auf ihm lastete, schlafen. Kemal fühlte sich in dieser großen Familie einsam, denn er hatte niemanden, mit dem er über seine Sorgen und Probleme sprechen konnte. Nachdem sein Schwiegervater die Haushaltsrechnung aufgemacht hatte, ließ Kemal sich von Emel nicht einmal mehr seine Zigaretten bezahlen. Er blieb auch dann noch standhaft, als seine Frau ihn sehr bat und dabei feuchte Augen bekam. Es herrschte eine ungemütliche Stille in der Wohnung.

Nicht eine von Kemals Hoffnungen hatte sich erfüllt, und er war traurig und fühlte sich gedemütigt. Er brach den Deutschkurs ab, um sich Arbeit zu suchen. Er wollte unbedingt selbst Geld verdienen. Kemal, groß und stark, mit Händen, die an schwere Arbeit gewöhnt waren, verletzte das Ausländerrecht, denn er war nicht als Gastarbeiter nach Deutschland gekommen, sondern nur als Ehemann einer Gastarbeiterin. Nach dem Gesetz hatte Kemal erst vier Jahre nach seiner Eheschließung das Recht auf eine Arbeitserlaubnis. Jetzt durfte er nicht arbeiten.

In den folgenden Tagen suchte Kemal sich Schwarzarbeit. Er nahm jede Arbeit an, nur um Geld zu verdienen, kellnerte in Cafés, lernte in türkischen Restaurants kochen, verkaufte Obst und Gemüse auf dem Markt und arbeitete sogar auf dem Bau. Er stand morgens in aller Frühe auf, eilte zu der schlecht bezahlten Arbeit und kam, wie der Rest der Familie, spätabends müde nach Hause. Den größeren Teil seines Lohns gab er seiner Frau, und manchmal brachte er ihr ein kleines Geschenk mit.

Kemal begann, auf sein Äußeres zu achten, und was er auch anzog, es stand ihm gut. Mit der Zeit kleidete er sich völlig neu ein. Die Arbeit und der Lohn brachten ihm seine Selbstachtung zurück. Doch immer mehr fühlte er sich in der Wohnung seiner Schwiegereltern eingeengt, aber Emel war zu einem Auszug nicht zu überreden. Sie wollte und konnte sich nicht von ihren Eltern trennen und hatte damit ja auch recht, denn in fünf Monaten würde ihr Baby zur Welt kommen, und wer sollte auf das Kind aufpassen? Emels Mutter würde glücklich sein, diese Aufgabe zu übernehmen.

Kemal fand in dieser Wohnung nicht genügend Luft zum Atmen und kam immer seltener nach Hause. Er begann, in Cafés und Teestuben zu gehen, die auch von deutschen Jugendlichen besucht wurden. Aber auch dort vermißte er die Freundlichkeit und Aufmerksamkeit, die er von den Leuten seiner Heimatstadt gewohnt war. Mit seinen Kollegen auf dem Bau kam er nicht gerade gut zurecht, er wurde herumgescheucht, und niemand hatte einmal ein freundliches Wort für ihn übrig. Seine Mühe, ein Gespräch zu beginnen, wurde brüsk übergangen.

Es bereitete Kemal große Sorgen, schwarz arbeiten zu müssen, als Tagelöhner ohne Versicherung schmutzige und schlecht bezahlte Arbeiten zu erledigen, die ihm keine Freude machten. Er stand in der Hackordnung an letzter Stelle, wurde erniedrigt und seine Würde trat man mit Füßen. All das lastete zentnerschwer auf Kemal, saß wie ein Stachel in seinem Herzen. Aus dem Spiegel blickten ihn matte, blutunterlaufene Augen an.

Kemal arbeitete mehr, kaufte sich weiter neue Kleidung und ging in vornehmere Cafés. Besser fühlte er sich nicht. Nichts änderte sich.

Auf der Arbeit befolgten Türken wie Deutsche die Anweisungen, waren ständig müde und scherten sich nicht um die anderen. Und Kemal hatte nicht einmal eine Arbeitserlaubnis, geschweige denn eine gute Arbeit. Er war nur Ehegatte einer türkischen Gastarbeiterin.

Am liebsten hielt sich Kemal in Köln auf der Hohe Straße auf. Sie war enger als die Hauptstraßen, aber doch breiter als die schmalen Gassen. Links und rechts gesäumt von hohen Häusern mit Tausenden von Geschäften erstreckte sich die Hohe Straße bis hin zur Domplatte. Diese Straße war eine Fußgängerzone, dort durften keine Autos fahren, und wahre Menschenmengen strömten von früh bis spät in alle Richtungen. Es gab alles: neben einem fünfstöckigen Kaufhaus ein kleines italienisches Eiscafé, gegenüber ein Geschäft mit Hochzeitskleidern, im gleichen Eingang ein Sexshop, im Schaufenster alle einschlägigen Artikel. In allen Preislagen war etwas zu finden, ein Paar Schuhe für 750 Mark ebenso wie ein Oberhemd für zehn Mark. Eine lange Straße nur für Fußgänger.

Eine lange Straße aber auch für Kemal. Denn dort vergaß er alles, er vergaß, daß er in eine andere Wohnung umziehen wollte, vergaß seinen nörgelnden Schwiegervater und die ruhige Schwiegermutter und auch Emels Geschwister, die nicht Türkisch sprechen konnten. Er dachte nicht einmal an sein Kind, das in wenigen Monaten zur Welt kommen würde. Er beobachtete die fremden Musikanten und die Kreidemaler und träumte vor sich hin.

Es war an einem schönen Tag im Mai, an dem die Sonne es gut mit den Menschen meinte. Wie an jedem Tag, ging Kemal tief in Gedanken versunken über die Hohe Straße und seine Augen waren die Spiegel seiner Hoffnungslosigkeit. An Tagen wie diesem - er hatte auch kein Geld in den Taschen - veränderte sich sogar sein Gang. Bei jedem Schritt beugte er die Knie, den Kopf vergrub er tief zwischen den Schultern. Man hätte meinen können, er sei kleiner geworden. In diesem Zustand ging er vom Neumarkt bis zur Domplatte, und als er zum Rhein hinuntergehen wollte, fiel ihm eine Plakatwand auf. Er blieb stehen, um sie zu betrachten. Auf einer alten Zigarettenreklame stand "Türken raus" mit roter Sprühfarbe geschrieben; rechts unten war eine kleine Friedenstaube in Blau aufgemalt. Ein Mann in einem blauen Arbeitskittel, mit Leiter, Kleistereimer und Bürste, begann gerade, ein neues Plakat aufzukleben. Er tauchte seine Bürste in den Eimer und kleisterte die ganze Plakatwand ein. Dann nahm er eine Rolle vom Gepäckträger seines Fahrrads, setzte sie in der Mitte der Plakatwand an und begann, das neue Plakat fachmännisch auszubreiten. Nach und nach verschwanden die Zigarettenwerbung, das "Türken raus" und die Friedenstaube, und zum Schluß war die gesamte Wand überklebt.

Nun prangte auf der Plakatwand ein großer Computer, an dem ein kleiner Mann lehnte. Kemal sah die lachenden, dunklen Augen des Mannes, die lockigen Haare unter einem runden schwarzen Hut und den Schnurrbart. Am Revers steckte eine rote Nelke, und in der Hand hielt der Mann einen Spazierstock. Kein Zweifel, das war Charlie Chaplin! Kemal konnte sich von dem Bild lange nicht trennen, so anziehend wirkte der liebenswürdige, etwas unbeholfen lächelnde Charlie Chaplin auf ihn. Die Wirkung des Plakats auf andere Passanten war ähnlich. Jeder, ob groß oder klein, sah Charlie Chaplin lachend an. Kinder zerrten an den Armen ihrer Mütter, nur um das Plakat etwas länger ansehen zu können.

Kemal ging nach Hause und träumte bis zum nächsten Morgen. Nachdem Emel zur Arbeit gegangen war, fuhr Kemal mit der U-Bahn in die Stadt. An den Haltestellen sah er das Plakat mit Charlie Chaplin.

Am nächsten Tag begann er, auf dem Großmarkt zu arbeiten. Er mußte Obst und Gemüse von Lastwagen aus südlichen Ländern abladen. Die Arbeit war schwer, und nach fünf Arbeitstagen war Kemal dem Umfallen nahe. Nach der Arbeit ging Kemal zur Hohe Straße, dort fühlte er sich wohl und konnte sich wieder an Charlie Chaplin erfreuen.

Er ging in ein paar Geschäfte und suchte sich sorgfältig alles aus, was er benötigte. Es waren die gleichen Sachen, die Charlie Chaplin auf dem Plakat trug, der Anzug, die Schuhe, der gleiche Spazierstock und eine Melone. Kemal konnte es kaum erwarten, nach Hause zu kommen.

Er betrachtete sich lange im Spiegel. Er war zwar größer als Charlie, hatte grüne Augen und breite Schultern, aber das machte ihm nichts aus. Er hatte auch dichteres Haar, buschigere Augenbrauen und einen größeren Schnurrbart, den er an beiden Seiten etwas stutzte. Es ging ihm durch und durch. Er zog die Sachen schnell an und vergaß auch nicht, die Preisschilder, auf denen "79,90" stand, unter den Schuhen zu entfernen. Er setzte die Melone auf, nahm den Stock und trat noch einmal vor den großen Spiegel im Kleiderschrank. Er erblickte einen ganz anderen Charlie Chaplin. Er nahm den Hut ab und grüßte lachend sein Spiegelbild.

Beim Verlassen der Wohnung traf er im Wohnzimmer auf seine Schwiegermutter, die einen erschrockenen Schrei ausstieß und die Hände vor das Gesicht schlug. Kemal tat, als hätte er nichts gehört, und ging erhobenen Hauptes auf die Straße. Den Blick an einen fernen Punkt auf dem Boden geheftet, ahmte er den typischen Gang Charlie Chaplins nach. An der Straßenbahnhaltestelle erregte er erstes Aufsehen, die Leute schauten immer wieder zu ihm hin und lachten. In der Straßenbahn war das Interesse noch größer, Mädchen und Frauen kicherten, es wurde viel gelacht, und gelegentlich ertönten Rufe wie "Das gibt's ja gar nicht, Charlie Chaplin!". Gemeint war er, Kemal, groß, breitschultrig, schwarz gekleidet mit Anzug, Melone und Stock, eine rote Nelke angesteckt. Ein schöner Charlie Chaplin.

Kemal sah und hörte niemanden. Am Neumarkt stieg er aus der Straßenbahn und ging, den Spazierstock schwingend, in Richtung Hohe Straße. Hier und da warf er einen Blick auf sein Spiegelbild in den Schaufensterscheiben. Mitten in einer größeren Menschenmenge blieb Kemal stehen. Die Leute strömten um ihn herum, gingen einkaufen oder waren auf dem Weg nach Hause. Kemal zog seinen Hut und grüßte die Vorübergehenden. Die Menschen waren verwirrt, und Kinder beobachteten ihn fasziniert und mit Spannung. Kemal verdrehte den Blick, taumelte herum wie betrunken, und seine Augen wurden feucht. Der alte Glanz kehrte zurück. Wie ein übermütiges Reh sprang er umher und tauchte in der Menschenmenge unter.

Bis zum späten Abend lief Kemal kreuz und quer durch die Kölner Innenstadt, und ihn befielen die verschiedensten Gefühle, überschwengliche Freude, große Traurigkeit und alle Gefühle dazwischen.

Als er nach Hause kam, war er müde und zerschlagen. Allen verschlug es den Atem, als er durch die Wohnungstür kam, nur die Kinder fanden Gefallen an ihm. Emel bekam solch einen Schock, daß sie fast ohnmächtig geworden wäre. Kemals Schwiegervater, der große Hoffnungen in seinen Schwiegersohn aus Anatolien gesetzt hatte, regte sich fürchterlich auf, bekam einen Herzanfall und konnte nur noch sagen: "Von diesem Tag an habe ich keinen Schwiegersohn namens Kemal mehr. Ich kenne dich nicht mehr."

Kemal antwortete nicht, er sagte kein einziges Wort und fügte sich der Tradition. Seine Unruhe und den inneren Schrei ließ er nicht nach außen dringen. Aus Trotz führte er das Charlie-Chaplin-Spiel weiter. Zärtlich küßte er Emel auf die Wange, streichelte einmal sanft über ihren Bauch und verließ leise die Wohnung. Er kehrte nie wieder zurück.

Man könnte meinen, Kemal sei völlig verrückt geworden, doch das stimmt nicht. Er ging weiter in die Cafés und Teehäuser, in denen er früher keine Beachtung gefunden hatte, wurde bestaunt und befragt. Aber jetzt sprach er nicht mehr, auch dann nicht, wenn neugierige schöne Mädchen mit ihren schlanken Fingern die Echtheit seines Bartes überprüften - selbst dann sagte er nichts. Oft um Autogramme gebeten, kaufte sich Kemal einen guten Füllfederhalter und verteilte als Charlie Kemal seine Unterschrift.

Sollte irgendwann einmal, während Sie in den beleuchteten Straßen Kölns spazierengehen oder in einem der schönen Cafés sitzen, neben Ihnen unvermutet ein Mann auftauchen, in schwarzem Anzug, die Ärmel und Hosenbeine etwas zu kurz, mit einem Spazierstock über dem Arm und einer roten Nelke auf dem Herzen - dann erschrecken Sie bitte nicht.

Lieber Bobi

Gestern war mein Friseurtag. Dieser Tag fällt immer auf den letzten Freitag des Monats. Wer mich an so einem Freitagnachmittag sucht, kann mich beim Friseur finden. Das ist eine alte Gewohnheit von mir.

Als ich da so saß und mein Gesicht im Spiegel betrachtete, bekam ich plötzlich Herzklopfen, als ein neuer Kunde hereinkam. Wie konnte es so eine Ähnlichkeit geben! Ich riß die Augen auf und starrte in den Spiegel. Doch der neue Kunde setzte sich auf einen freien Sessel, und ich konnte sein Gesicht nicht mehr sehen. Ich traute mich nicht, meinen Kopf zu wenden, um ihn weiter anschauen zu können. Warst Du das nun oder warst Du es nicht? Wenig später nahm ich allen Mut zusammen und drehte mich um. Ich hoffte sehr, Du würdest es sein. Nein, Du warst es nicht. Enttäuscht wandte ich mich wieder meinem Spiegelbild zu. Wie kann jemand, der so aussieht wie Du, trotzdem nicht Du sein! Ich kann nicht sagen, wie sehr es mich schmerzte.

Die gestrige Enttäuschung brachte Dich nach Monaten noch einmal in meine Gedanken zurück. Seit gestern gibt es keine einzige Sekunde, in der ich nicht an Dich denke. Ich bin ganz von Dir erfüllt, mein liebster Bobi.

Gerade sehe ich mir die Bilder an, die ich mit großer Mühe aus der Schublade hervorgekramt habe. Leider bist Du auf keinem der Fotos zu sehen. Es gibt nur blaues Meer, bunte Blumen, einsame, hoch-

näsige Kakteen und giftig-rosige Oleanderbüsche ...
Übrigens, diese kleinen, aneinandergereihten Häus-
chen, die aus der Ferne aussehen wie geschnittener
Schafskäse, passen nicht in dieses niedliche Ferien-
dorf. Von der felsigen kleinen Bucht habe ich ein
paar Bilder mit meinem Konterfei.

Erinnerst Du Dich noch daran, als wir am späten
Nachmittag, am Strand liegend, auf den Sonnenun-
tergang warteten? Meinen Kopf an Deine Schulter
gelehnt schaute ich sehnsüchtig auf das Meer. Du
glaubtest mir einfach nicht, daß ich nach Hause
mußte. Und Du wolltest mich nicht loslassen.

Weißt Du noch, daß wir gelegentlich zur Gelben
Bucht gingen? Im Wasser dieser steinigen Bucht
schwamm niemand außer uns. Stundenlang liebten wir uns dort und genossen unsere Liebe und
die Schönheiten der Natur.

Ach, was war der Abend schön, als wir uns im
Halbdunkel hinter einem verlassenen Haus atemlos
umarmend liebten, während Leute grinsend an uns
vorbeigingen! Vor Schüchternheit brach mir der
Schweiß aus, Du aber hast über mich gelacht. In meinem Land, wo man Wert auf 'Kultur' legt, könnte
man sich so ein Verhalten nicht vorstellen.

Damals habe ich zum ersten Mal in meinem Leben
Freiheit erfahren mit Dir. Um einen ungestörten
Urlaub verbringen zu können, haben mich meine
Angehörigen den ganzen Tag herumlaufen lassen,
ohne daran zu denken, was ich essen und trinken
sollte. Die Freiheit jener Tage vermisse ich gerade
jetzt so sehr! Damals wünschte ich mir, daß Du Dich
von Deinen streunenden Freunden fernhalten würdest! Du gabst keine Antwort.

Auch auf Fragen nach Deiner Vergangenheit hast
Du nicht reagiert. Vielleicht war Deine Traurigkeit
der Grund, daß unsere unterschiedliche Erziehung
und Lebensweise eine Kluft zwischen uns bildete.
Einmal hast Du vor lauter Wut zu mir gesagt, Du
wüßtest nicht, wer Deine Eltern seien und in welcher

Stadt sie leben würden. Du könntest mit jedem ohne weiteres gut auskommen, der mit Dir freundschaftlich umgehen würde. Ich habe zum ersten und letzten Mal bei Dir geweint.

Du lachtest über meine Betroffenheit und sagtest, daß wir erst glücklich sein könnten, wenn wir uns gleichberechtigt behandeln würden. Dazu wäre aber eine ähnliche Lebensweise und eine gleiche Meinung erforderlich. Oh, Du mein liebster Bobi! Denkst Du, daß ich jemals ohne Dich in diesem reichen Land glücklich sein könnte?

Ich muß Dir meine Geschichte nochmals von vorne erzählen: Meine Großeltern haben ihr Leben bei einem reichen Grafen in einer Villa verbracht. Es muß dort grüne Wiesen, kleine Bauernhäuser, umgeben von vielen Bäumen, gegeben haben. Meine Eltern sollen außerhalb der Stadt ein glückliches und freies Leben geführt haben. In meinem Stammbuch steht dies alles, Wort für Wort. Wie schön, daß Du kein Stammbuch besitzt.

Und ich? Ich lebe in einem der Betonklötze einer großen Stadt, die über alle Errungenschaften der modernen Architektur verfügt. Wenn ich aus dem Fenster schaue, sehe ich keinen Himmel. Der ist in dichten Rauchwolken verschwunden. Ich sehe die Schornsteine von protzigen Fabriken und überall Häuser mit ihren schmutzigen Dachziegeln und verdreckten Wänden.

Meine Sorgen kennen kein Ende. Als wir aus dem Urlaub zurückkamen, ließen sie mich, nachdem sie irgendwie von meinem Abenteuer mit Dir erfahren hatten, sofort impfen. Was hätte ich tun können, wenn sie mich an der Gebärmutter hätten operieren lassen? Hierzulande gibt es gegen jede Krankheit eine Impfung. Mehrmals im Jahr werden wir geimpft; jede Impfung wird fein säuberlich in einem Impfpaß eingetragen.

Du hast es gut! Du hast keine solchen Sorgen! Du kannst mit jeder schlafen. Eure Weibchen können ohne Einschränkungen Kinder in die Welt setzen. Wenn Du zu Hause nichts zu essen bekommst, klaust Du etwas, um Deinen Hunger zu stillen.

Weißt Du noch, als Du mir an einem Abend etwas von einer Grill-Party besorgt hast? Den Geschmack des Bratens werde ich nie vergessen! Ich sehne mich immer noch nach dem Geruch des gegrillten Fleisches. Kannst Du Dich erinnern, wie ich mich damals an Deinen Arm geschmiegt habe? Bis jetzt weiß ich nicht, wie du dieses Fleisch bekommen hast. Du, mein liebster Dieb, mein Bobi! Ich muß jeden Abend vor dem Fernseher sitzen und dort die Werbung über eingemachte Dosenkost angucken. Ach, verzeih mir, ich wollte Dich mit meinen Problemen nicht belasten.

Du hast mal erzählt, daß Kinder Steine nach Dir warfen, Dich schwer am Kopf trafen und Dich einmal aus dem Teehaus am Strand verjagten. Bei uns darf man niemanden verprügeln, aber es gibt noch schlimmeres, nämlich verlassen zu werden! Die große Sorge, die ich und meinesgleichen hier haben, ist, sitzengelassen, einfach irgendwo angebunden, absichtlich vergessen zu werden. Alleine kann man hier nicht spazieren gehen. Die Verlassenen findet man in den Obdachlosenheimen. Dies sind moderne Verwahranstalten ohne Gras, ohne Blumen! In Deinem armen Land gibt es solche Heime nicht, oder?

Manchmal frage ich mich, warum man mich in diesem Haus wohnen läßt. Meine Angehörigen werden jeden Tag am Arbeitsplatz von den Vorgesetzten angebrüllt. Da sie dort ihre Wut nicht ablassen können, müssen wir es ausbaden:

"Halt Deine Schnauze! Setz dich hin! Sei anständig! Friß Dein Essen! ..."

Zum Ausführen von Befehlen sind wir gut genug. Wir sind die armen Kreaturen. Die Menschen laden ihre Wut und ihren Ärger auf uns ab. Ihre Einsamkeit machen wir ihnen erträglich, und dennoch schimpfen sie auf uns. Angeblich lieben sie uns sehr. Ob sie uns deshalb in den Hochhäusern eingesperrt haben? Mit der Natur jedenfalls kommen wir nicht mehr in Berührung.

Neulich, an einem Samstag, habe ich im Park eine alte Dame mit glänzender Frisur gesehen. Ich selbst duftete nach Shampoo, da ich frisch gebadet war. Wir sind uns näher gekommen und fingen an, uns gegenseitig zu beschnuppern. Aber man hat uns an den Leinen zurückgezogen. Diesen Schmerz spüre ich immer noch am Hals und in meinem Herzen. Die Menschen lassen uns nirgendwo in Ruhe. Aber ihre eigenen erwachsenen Kinder dürfen alles.

Für uns gilt nicht die gleiche Großzügigkeit. Mit einer Ausnahme: Die Reinrassigen können sich alles erlauben. Deren Begattung findet in speziellen Züchtereien statt. Ich glaube, daß eine solche Liebelei nichts mehr mit Gefühlen zu tun hat. Ihr, die Ihr in dem fernen Land wohnt, habt wirklich keine Ahnung von den Problemen hier!

Laß mich Dir zum Schluß eine erfreuliche Mitteilung machen: Hier bei uns ist es für Hunde meist leicht, ein Zuhause zu finden. Für die Menschen scheint das schwieriger zu sein. Eine Familie mit drei Kindern muß lange nach einer Wohnung suchen. Es ist fast unmöglich! Wie schön ist es doch für uns: Menschen mit drei Hunden kriegen sofort eine Wohnung!

Deine Dich sehr liebende und dich niemals vergessende

Lilli

Zigeuner

J eden Mittag ist es dasselbe: Wo soll ich heute essen gehen? Während ich überlege, in welches Lokal ich gehen könnte, fällt mein Blick auf die Agneskirche links von mir. Sie weint mit geneigtem Haupt ... Das vergesse ich nie: Vor drei Jahren war im Dachstuhl bei Schweißarbeiten Feuer ausgebrochen, und es hat stundenlang gebrannt. Die älteren Deutschen waren sehr traurig und bedauerten das Unglück, während einige von den Jugendlichen unbekümmert zusahen und sich dabei verliebt küßten.

Die alte Agneskirche, die vom unteren Vordach bis zu dem dünnen Turm wie Klöppelspitze gearbeitet ist, sieht mich von oben mit ihrem halbverbrannten, bemitleidenswerten Antlitz an. Trotz des Verbots spielen auf dem Vorplatz blonde und dunkle Kinder Ball und geben ihr Letztes her.

Ich wechsle auf die andere Straßenseite und betrachte sehnsüchtig die wunderschönen duftlosen Blumen der Blumenhändler. Der Geruch von Braten aus dem griechischen Restaurant hat mich richtig hungrig gemacht. Etwas weiter, kurz vor dem Ebertplatz, gibt es ein altes deutsches Lokal. Auf einer kleinen schwarzen Tafel vor der Tür steht das preiswerte Tagesmenü angeschrieben. Heute gibt es ein halbes Hähnchen mit Bratkartoffeln und Salat zu sechs neunzig.

Drinnen ist es ziemlich voll. Arbeiter und Angestellte im mittleren Alter kommen aus den umliegenden Werkstätten und Büros hierher. Um die langen

Tische sind jeweils sechs schwere Stühle am Boden befestigt. Dunkle Brauntöne vom Boden bis zu den Wänden beherrschen die Atmosphäre. Zwei Kellner in dunkelblauen Schürzen, die von der Taille bis zu den Knien reichen, laufen von Tisch zu Tisch und schauen - die Nase in der Luft - von oben auf die Gäste herab.

Ich setze mich neben zwei Damen im Rentenalter, nachdem ich sie um Erlaubnis gebeten habe. Beide haben sich mit Sorgfalt herausgeputzt und sind gut gekleidet, von den Süßkirschenblättern auf ihren Hüten bis zu ihren blitzblank gewienerten Schuhen. Wie lange sie wohl heute morgen vor dem großen Spiegel gestanden haben? Sie zahlen getrennt, verabschieden sich von mir und gehen.

Nun bin ich allein. Wie schön - oder auch nicht? Mit einem letzten Schluck leere ich das halbvolle Glas Bier. Um ein zweites zu bestellen, warte ich darauf, daß der Kellner endlich zu mir schaut.

Es wird immer voller im Lokal. Kein Stuhl bleibt mehr frei. Nur an meinem Tisch ist noch Platz. Selbst die jüngeren Leute, die kommen, schauen nur kurz zu mir herüber und suchen dann woanders Platz. Ich ärgere mich, und es macht mich traurig. Meine Einsamkeit wächst. Ich glaube, in diesem Augenblick bin ich der einzige Ausländer im Lokal. Daß da Leute kommen und sich nicht setzen, beziehe ich auf mich. "Es wird also wieder dasselbe Stück auf der Bühne gespielt, immer dasselbe Stück!", sage ich zu mir. Stur, ohne aufzusehen, esse ich mühsam. Sowohl am Hähnchenschenkel als auch an den Bratkartoffeln verliere ich den Appetit. Das laute Sprechen der Leute und ihr aufgesetztes Lachen ärgert mich. Vielleicht bin ich auch nur neidisch, weil sie glücklich sind. Fast um mich zu trösten, sage ich zu mir: "Wenn sie nicht wollen, sollen sie sich eben nicht setzen. Wenn jetzt mit viel Krach Leute kämen und hier so gräßlich laut herumlachten, wäre es dann besser? Wie schön also, allein an einem Tisch für sechs Personen zu sitzen - als ob der ganze Tisch extra für mich reserviert wäre. Dreh' nicht wieder jeden Stein um!"

Wieder beruhigt, wie ich glaube, trinke ich mit verhohlenem Spaß mein Bier und betrachte meine Umgebung. In diesem Moment fragt eine junge Frau: "Darf ich mich setzen?"

Mit betonter Höflichkeit weise ich mit der Hand auf die freien Stühle. Den Kopf nach vorn geneigt versuche ich, mein Menü so langsam wie möglich zu essen. Ich fühle, daß die Augen der Frau, die sich am anderen Ende des Tisches genau mir gegenüber hinsetzt, auf mich gerichtet sind. Als ich aufschaue, treffen sich unsere Blicke. Ohne die Augen von mir abzuwenden, lächelt sie herzlich. Sie trägt ein senffarbenes Kleid aus glänzendem, mit Glitzerfäden gewirktem Stoff, das auch Frauen im Alter ihrer Mutter anziehen könnten. Der Pelz, von dem zwei kleine Fuchsköpfe ihre Schultern herabbaumeln, zieht zuerst meine Aufmerksamkeit auf sich. Meine Augen wandern zwischen ihren Augen und den Glasaugen der Füchschen hin und her.

Als die kurz zuvor bestellte Suppe kommt und sie den Löffel eintaucht, schaut sie mich wieder an. In dem Moment sage ich einfach, weil es mir so in den Kopf kommt:

"Sie sind eine sehr mutige Frau."

Sie reißt die Augen weit auf: "Wieso?"

"Wenn Sie nicht gekommen wären, wären die fünf Plätze an diesem Tisch stundenlang leer geblieben. Vor Ihnen hat sich niemand getraut, sich hierher zu setzen", sage ich.

Ihre Verwunderung wächst noch mehr. Dann neigt sie sich nach vorn und schüttelt traurig den Kopf. Sie rührt mit dem Löffel angestrengt in der Suppe herum, als ob sie sie nicht möge.

"So ist das eben ... ja, so ist das ... ja, ja, ich verstehe", murmelt sie mit kaum hörbarer Stimme. Das

herzliche Lächeln auf ihren Lippen und das Aufleuchten in ihren Augen sind verflogen.

Ich bin etwas verunsichert. Was soll ich denn jetzt
sagen? Ich wollte sie loben und habe sie traurig ge-
stimmt. Obwohl ich sonst immer etwas Geistreiches
finde, fällt mir nichts ein, womit ich sie trösten oder
zum Lachen bringen könnte. Sie ißt nicht einmal einen
Löffel von ihrer Suppe. Sie sieht mich wieder an und
fragt:

"Sind Sie Zigeuner?"

"Leider nicht. Ich bin Türke", antworte ich. Ich betrachte ihre dunklen Haare und ihre braunen Augen
und frage:

"Oder sind Sie etwa Zigeunerin?"

"Ich bin Deutsche."

Ich lache: "Das ist unglaublich!" - Beim Anblick
meiner schwarzen lockigen Haare hat sie mich für
einen Zigeuner gehalten. Auch sie hat dunkle Haare
und dunkle Augen. Sie sagt etwas zum Kellner und
schiebt den Suppenteller an den Rand des Tisches.
An dem zweiten Gang, Paprikaschoten, beginnt sie,
mit dem Messer herumzuschneiden.

"Sie sagen 'unglaublich'? - Warum nicht? Ich bin
eine reinrassige Deutsche. Ich habe nichts gegen
Ausländer und Türken. Aber ich finde es nicht gut,
wenn sie sich nicht an die deutsche Gesellschaft anpassen", sagt sie, schiebt ihren Paprikateller weg und
sieht mich, eine Antwort erwartend, an.

"Nicht nur Sie, viele Deutsche glauben, daß sich
die Türken nicht an die deutsche Gesellschaft anpassen. Türken, die sich an die deutsche Gesellschaft anpassen, kann man nicht sehen. Denn wenn
die Türken schon angepaßt sind, glaubt man, daß es
sich um Zigeuner, Italiener oder Spanier handelt",
sage ich und sehe dabei mit fragenden Augen in ihr
Gesicht.

Sie wendet sich an den Kellner, der gerade vorbeikommt, und zahlt.

"Ja, Sie haben wirklich recht. Es tut mir sehr leid.

Wir sehen viele Dinge nicht. Ja, es tut mir leid", sagt sie und verschränkt die Arme.

Es folgt ein langes Schweigen. Man könnte meinen, daß wir uns nichts mehr zu sagen haben. Als ob ich es eilig hätte, sehe ich einige Male auf die Uhr. Ich glaube, sie und auch ich halten es für unhöflich, als erster aufzustehen.

"Wie spät ist es?", fragt sie.

"Halb zwei", sage ich. Unruhig, als ob sie aufstehen müsse, aber nicht könne, sitzt sie auf dem Stuhl. Vielleicht kommt es mir nur so vor. Ich sehe wieder auf die Uhr.

"Sie sind sehr nett", sage ich. "Es hat mich gefreut, Sie kennenzulernen. Vielleicht sehen wir uns eines Tages wieder. Bitte warten Sie nicht auf mich. Wenn ich das Bier ausgetrunken habe, muß ich aufstehen und zur Arbeit zurückgehen."

Sie steht auf, und mit einem herzlich lachenden Gesicht sagt sie:

"Auf Wiedersehen. Ich freue mich auch, daß wir uns kennengelernt haben. Alles Gute!" - Sie schiebt sich in das Gedränge im Lokal und gleitet hinaus.

Wie traurig, wie fröhlich, wie glücklich, wie unglücklich gehe auch ich wenig später auf die Straße hinaus.

Schnell laufe ich die Neusser Straße entlang in Richtung Büro. Als ich mich der Agneskirche nähere, schaue ich wieder zum Himmel auf. Die Sonne steht über dem Turm. Sie verbreitet Wärme auf der Erde.

Die Agneskirche in ihrem halbverbrannten Gewand zwinkert mir mit einem Monalisalächeln zu.

Blutroter Mohn in grünem Weizen

D er Anarchist, der am ersten Tag des Opferfestes seiner Einheit übergeben werden sollte,
war geflohen. Er war aus seiner drei Quadratmeter
großen und mit zwei Schlössern gesicherten Zelle
entkommen. Nachdem er darum gebeten hatte, aus-
treten zu dürfen, war er plötzlich verschwunden. Der
Soldat konnte sein langläufiges G-3-Gewehr nicht
mehr auf ihn richten.

Alle Soldaten einer kleinen Gendarmeriewache[*]
auf dem Lande, die wegen des Opferfestes dienstfrei
hatten, wurden zurückbeordert.

Die Suche mit Jeeps im gesamten Landkreis war
vergebens; der Geflohene war über alle Berge.

Der Unteroffizier und der Oberkommandant befan-
den sich in Panik. Falls sie den wachhabenden Soldaten anzeigen sollten, würde dieser für mindestens
zwei Jahre ins Gefängnis wandern und müßte obendrein seinen Wehrdienst wiederholen. Sie selbst
würden mit roter Tinte einen Eintrag in die Personal-
akte bekommen: "Sie verfehlten Ihren Dienst beim
Transport eines Anarchisten."

Falls sie die vorgesetzte Gendarmeriekommandan-
tur nicht über die Flucht informieren sollten, würde
sein Fehlen bemerkt werden und in spätestens zwei
Wochen der Befehl eintreffen: "Den Flüchtigen festnehmen und seiner Einheit übergeben!"

Der Geflohene mußte also unbedingt wiedergefunden werden.

Ständig telefonierten die beiden Verantwortlichen

*In ländlichen Gebieten der Türkei werden die Aufga-
ben der Polizei vom Militär übernommen; die Gendarmerie untersteht dem Militärkommando. Die Wehr-
pflicht beträgt zwanzig Monate.

mit engen Vertrauten: "Meldet uns jede Nachricht, die uns bei der Suche helfen kann! Es soll nicht zu eurem Nachteil sein."

Am zweiten Tag des Opferfestes hatte die kleine ländliche Gendarmeriewache also ihr Ansehen verloren. Aber die Ehre ihrer Wache interessierte die Soldaten nicht im geringsten. Sie machten sich über den wachhabenden Soldaten lustig und rechneten ihm vor, wieviele Jahre er einsitzen müsse, weil er unvorsichtigerweise den Anarchisten hatte fliehen lassen und dabei auch noch ein blaues Auge verpaßt bekommen hatte. Nach dem Abendessen verfolgten sie in den Nachrichten die Rede des Staatsoberhauptes, eines Altgedienten. Die Soldaten, die nicht mehr lange zu dienen hatten, dachten daran, daß sie bald zu ihren Familien und Freunden in die Heimat zurückkehren würden. Sie zählten die Tage rückwärts und errechneten den Tag, an dem sie sich in das Heer der Arbeitslosen einfügen würden.

Am nächsten Tag trafen die ersten Meldungen über den Flüchtigen ein:

"Auf der Straße in die Hauptstadt, mit 170 Stundenkilometern auf einem Motorrad / An den Füßen kniehohe, pelzgefütterte Stiefel / Auf dem Bahnhof gesehen, als er aus dem Zug winkte / Versteckte sich im Freudenhaus, hat dort eine Freundin / Er soll vom Bäcker ein Brot verlangt haben / 'Ich gehe nirgendwohin, bevor ich nicht diesen Militärfriseur, der mir meine Augenbrauen und meinen Bart abgerupft hat, erschossen habe', behauptete er ..."

Die Soldaten unter Führung des Unteroffiziers waren mit ihren Kräften am Ende. Um die eingegangenen Anzeigen überprüfen zu können, liefen sie von morgens bis abends herum. Bald hatten sie jedes Haus in der Umgebung durchsucht.

Fünf Tage waren vergangen. Der Oberkommandant war der Verzweiflung nahe. Er wies den Unteroffizier an, alle Soldaten durch Prügel zu disziplinieren.

Endlich traf ein Hinweis ein: Der Flüchtige halte

sich im benachbarten Landkreis auf und arbeite bei einem Dreher. Innerhalb von fünf Minuten standen alle Soldaten zum Appell bereit. Der Oberkommandant wollte sich selbst nicht an der Aktion beteiligen. Trotzdem zog er sich seine olivgrüne Tarnuniform an und zwängte seinen üppigen Bauch in einen engen Gürtel, an dem er seinen Smith-and-Wesson-Magnum Revolver befestigte.

Der Flüchtige war überaus gefährlich. Er hatte bereits wegen anarchistischer Vergehen im Zuchthaus gesessen. Nach seiner Entlassung war er einer Einheit übergeben worden, um wie jeder junger Mann seinen Wehrdienst abzuleisten. Von dort war er geflohen, später aber gefaßt und dieser Gendarmeriewache übergeben worden. Als er wieder seiner Einheit überführt werden sollte, floh er erneut.

Die Soldaten bestiegen ihrer Rangordnung nach das Militärfahrzeug. Als Wachen wurden der Friseur, der Koch und der als Schreibkraft tätige Soldat in der Gendarmerie zurückgelassen.

Der Oberkommandant zog sich in sein Diensthaus hinter der Wache zurück, machte es sich im Schatten der Weide am Teich gemütlich und rief seiner Frau zu: "Wo bleibt mein kühles Blondes?"

Wie zwei Denkmäler sahen der Koch und der Friseur aus, als sie mit ihren Gewehren Wache vor der Gendarmerie hielten.

Aus dem Obstgarten mit seinen reichbehangenen Apfelbäumen stieg ein grüner Duft auf. Er verzog sich in Richtung der violetten Berge, die wie eine Mauer vor dem Meer standen. Der Friseur und der Koch blickten sehnsüchtig zu den Bergen hinauf, als sie vom Bürgersteig her Schritte vernahmen. Beide drehten die Köpfe in diese Richtung und sahen die Tochter des Bäckers. Sie trug einen kurzen, roten Pullover, einen schwarzen Rock und schwarze Strümpfe, die ihre rosaweißen Knie unbedeckt ließen. Immer wenn sie an ihnen vorbeilief, blickten die Soldaten sich nach der Fünfzehnjährigen um. Der

Koch fluchte in sich hinein: "Verdammt sei dieser Dienst."

Der Friseur murmelte vor sich hin: "Sie kommt nur her, um mich zum Wahnsinn zu treiben".

Er verschwand zur Toilette.

Der flüchtige Anarchist wurde von seiner Festnahme an der Drehbank bis zur Einlieferung in die Gendarmeriewache ununterbrochen geprügelt; die Soldaten wollten sich wegen der Prügel rächen, die sie am Morgen hatten einstecken müssen.

Der Unteroffizier, der neben dem Fahrer saß, als sie mit dem Gefangenen zurückkamen, war stolz, die Ehre der Wache gerettet zu haben.

Unter übertrieben wirkenden Schreien der Soldaten wurde der Flüchtige aus dem Fahrzeug herausbefördert. Sein Gesicht war blutig; sein Kopf wies einige Platzwunden auf. Seine Hände steckten in Handschellen. Er gab keinen Laut von sich. An Größe überragte er alle Soldaten, die ihn umgaben und zufrieden grinsten.

In einer kleinen Zelle wurde er mit dem linken Handgelenk an die Fenstergitter und mit dem rechten Fußgelenk ans Bettgestell angekettet. Vor der mit zwei Schlössern gesicherten Zellentür, die auf den engen Korridor führte, wurden diesmal zwei Wachen aufgestellt.

Der Schreiber schlug sein Buch, in dem er gerade gelesen hatte, zu. Durch das Fenster erblickte er im Schatten der Weide am Teich den Unteroffizier und den Oberkommandanten. Beide warteten auf ihr Abendessen. "Sie werden ihren Sieg feiern", sagte er leise vor sich hin.

Er holte aus seiner Schreibtischschublade zwei Packungen Zigaretten und Streichhölzer heraus. Es war gegen acht Uhr abends. Etwas später würde der Präsident der Republik in den Nachrichten seine allabendliche Rede halten.

Langsam stieg er die Stufen hinab. Er passierte den engen Korridor und kehrte wieder zurück; als ob er etwas vergessen hätte, schaute er durch das kleine vergitterte Fenster der Zellentür. Der Gefangene regte sich nicht. Der Schreiber klopfte an die Eisentür. Der Körper des Gefesselten zitterte, er drehte sich aber nicht um. Weil der Schreiber die Nachrichten nicht verpassen wollte, eilte er in den Speisesaal. Gedankenverloren aß er sein Abendbrot und hörte dabei die Rede des Präsidenten. Die Geräusche der Messer und Gabeln ließen ihn wieder aufwachen. Plötzlich schrie er nach dem Koch.

"Was gibt's, Chef?" Mit unterwürfiger Stimme näherte sich der Koch dem Soldaten.

"Hast du dem Gefangenen das Essen gebracht?"

"Ist das hier ein Hotel, mein Herr?"

"Los, gib dem Gefangenen sofort sein Essen! Sonst bekommst du was auf dein schiefes Maul und ein Veilchen dazu. Auch er gehört zu uns. Wer weiß, wieviel Jahre er im Gefängnis einsitzen muß? Vor allem ist er ein Mensch!"

Diese letzten Worte richtete der Schreiber herausfordernd an alle anwesenden Soldaten. Einige murmelten etwas von 'Prügel' von seiten des Unteroffiziers, andere meinten, daß der Anarchist ohnehin wieder fliehen würde.

Der Koch brachte dem Gefangenen sein Essen. Als er wieder zurückkam, blinzelte er mit einem Auge, als ob er ein Dankeschön erwartete. Der Schreiber wandte sich erneut an seine Kollegen:

"Habt Ihr Kerle gesehen? Sogar der Koch, den Ihr verachtet, hat Mut. Ihr aber prügelt einen Menschen, der gefesselt ist, fast zu Tode. Wenn Ihr wirklich Männer seid, solltet Ihr es versuchen, wenn er nicht gefesselt ist. Ihr solltet Euch schämen! Eure Eltern, die weder lesen noch schreiben können, sind stolz auf Euch. In ein paar Monaten seid Ihr wieder Zivilisten. Wie würdet Ihr Euch fühlen, wenn Ihr dann ohne Uniform in eine Gendarmeriewache geraten solltet? Da möchte ich Euch mal sehen. Wer den Gefangenen anfaßt, bekommt es mit mir zu tun. Auch wenn ich nur noch 19 Tage zu dienen habe und meinen Dienst wiederholen müßte, ich schwöre Euch, den mache ich fertig!"

Bedächtig erhob er sich. Dabei schaute er jeden einzelnen an und ging hinaus. Er lief auf die Zelle zu. Die Zigarettenpackungen und die Streichholzschachteln warf er in die Zelle. Wenig später näherte er sich erneut dem Zellenfenster. Die Packungen und Streichholzschachteln lagen zerstreut vor dem angeketteten Fuß des Gefangenen. Die Wachen standen mit ernster Miene im Korridor herum und versuchten, den Blicken des Schreibers auszuweichen.

"Macht die Tür auf!"

"Ist verboten. Dürfen nicht aufmachen."

"Macht auf, damit ich ihm die Zigaretten geben kann!"

"Ist verboten, dürfen nicht aufmachen."

"Dann kann einer von Euch das tun!"

"Wenn der Chef etwas erfährt, bekommen wir morgen Prügel."

"Seid keine Angsthasen! Der Mann ist angekettet. Macht schon auf, damit ich ihm die Zigaretten geben kann."

Beide Wachen schauten sich an:

"Was ist, wenn es doch herauskommt?"

"Keine Angst, niemand wird es verraten. Sie haben Respekt vor mir", betonte der Schreiber.

Der Wächter, der bisher geschwiegen hatte, öffnete geräuschvoll die beiden Schlösser, trat in die Zelle ein, hob die Zigaretten vom Boden auf und legte sie neben den Gefangenen. Schnell trat er wieder heraus und schloß die Zellentür hinter sich ab. Er hatte ein hochrotes Gesicht und eine Schweißperle rollte von seiner Wange herunter. Der Gefangene griff blitzschnell mit der freien Hand nach der Packung. Mit den Zähnen riß er sie auf. Mit einer Hand konnte er das Streichholz nicht anzünden. Die ganze Schachtel leerte er auf seinem Bett aus. Nach einer

Weile, die dem Schreiber wie eine Ewigkeit vorkam, zündete der Gefangene seine Zigarette an. In der dunklen Zelle kringelte sich der blaue Rauch in die Höhe.

Mit einem hungrigen Glücksgefühl schlug der Schreiber in seinem Büro wieder sein Buch auf.

Die Reifkälte des Monats Mai, die von den Bergen herunterzog, ließ die Scheiben des Schlafsaals beschlagen. Die Soldaten, die um sechs Uhr aufstanden, hatten bereits ihre Posten bezogen. Der Schreiber war erst gegen Morgen eingeschlafen; er ließ heute seinen allmorgendlichen Frühsport ausfallen, lief zu seinem Schreibtisch, spannte Papier in die Schreibmaschine und knöpfte seinen Kragen zu. Jeden Augenblick konnte der Oberkommandant eintreffen.

Als der Schreiber zum Mittagessen ging, gab es unter den Soldaten ein heilloses Durcheinander; niemand wollte den Transport des Gefangenen übernehmen. Dabei wurde gewöhnlich gerade um diese Aufgabe gerungen. Nach den Bestimmungen erhielten die Soldaten Spesen für den Transport und die Übernachtung. Für diese Ausgaben mußte der Gefangene selber aufkommen, dies war ein persönliches Vorrecht der Soldaten. Falls der Gefangene kein Geld besaß, hatten die Soldaten das Nachsehen. Dann wurden die Handschellen so eng wie nur möglich um die Handgelenke gelegt; die Soldaten empfanden meistens Genugtuung, während des Transports den Gefangenen befeligen zu dürfen. Nachdem sie den Gefangenen seinem Bestimmungsort übergeben hatten, machten sie oft noch bei ihren Bekannten halt, bevor sie zu ihrer Einheit zurückkehrten. Für die Soldaten, die ihre Frauen, Verlobten, Eltern oder Verwandten nur einmal im Jahr sehen konnten, war der Gefangenentransport die einzige Möglichkeit zum Besuch zwischendurch.

Dieser Gefangene war etwas Besonderes. Er war ein politischer Gefangener, der zudem noch fünf Jahre im Zuchthaus gesessen hatte. Als der Unteroffizier seine Bedenken bezüglich des Transports dem Oberkommandanten mitteilte, war dieser verärgert:

"Soll ich dir vielleicht Soldaten von einer anderen Gendarmeriewache besorgen? Geh jetzt und such dir zwei Soldaten, damit wir diesen Verdammten vom Hals haben!"

Als der Unteroffizier, den Kopf zwischen die Hände gestützt, überlegte, welche Soldaten den Gefangenen transportieren sollten, klopfte es an die Tür. "Herein!"

Der Schreiber trat ein. Er grüßte, schlug die Absätze aneinander und wartete mit den Händen an der Hosennaht auf die Erlaubnis, sprechen zu dürfen.

"Was gibt's?"

"Keiner von den Soldaten will den Transport übernehmen, Unteroffizier."

"Ja, das weiß ich. Was geht dich das an?"

"Ich möchte den Transport übernehmen!"

"Bist Du verrückt geworden, Kerl? Willst du nicht nach Hause? Du hast doch nur noch ein paar Tage."

"Die letzten Tage werden mir lang und das Warten macht mich nervös. Dadurch vergehen wenigstens einige Tage."

"Kerl, geh und erledige deine Arbeit! Bist du blöd? Der Mann ist ein Anarchist! Er flieht von überall, wo man ihn einsperrt."

"Ich lasse ihn nicht fliehen!"

"Schau, mein Sohn, ich kenne dich, du hast studiert, bist in der Großstadt aufgewachsen und treibst Sport. Aber falls der Anarchist flieht, bekommst du fünf oder sechs Jahre Gefängnis. Außerdem müßtest du deinen Wehrdienst noch einmal wiederholen."

"Ich werde die Sache ernst nehmen. Er kann nicht fliehen."

"Er hat kein Geld. Mit dem Postzug dauert die Reise 24 Stunden."

"Das macht nichts. Ich nehme alle Risiken auf mich."

"Wen willst du als zweiten Mann mitnehmen?"

"Hafiz."

"Er dient erst seit sechs Monaten und hat bisher keinen Gefangenentransport mitgemacht."

"Aber er ist zuverlässig und ruhig."

"Los, bereite die Reise vor, morgen früh könnt Ihr losfahren. Laß dir von einem deiner Mitrekruten eine Waffe geben. Reinigt sie und kontrolliert die Patronen, ob sie nicht rostig sind."

"Ich danke Ihnen."

Nachdem der Schreiber abgetreten war, füllte der Unteroffizier die erforderlichen Papiere aus. Etwas später nahm er sich einen neuen Bogen und notierte:

"Besondere Anweisung! Achtung! Jeden Augenblick herrscht Fluchtgefahr. Sei wachsam! Vergiß nicht, daß du in einigen Wochen bei deiner Familie sein möchtest! Der Anarchist wird mit der Hand an den Sitz und mit dem Fuß an das Heizungsrohr angekettet und doppelt gesichert. Du bist für den Transport verantwortlich. Nimm deine Aufgabe ernst! Vergiß nichts! Beim Toilettengang bleibt die Tür offen; einer von Euch beobachtet das Fenster, der andere den Gefangenen. Bei geringster Zuwiderhandlung wird geschossen. Der Schießbefehl wird hiermit erteilt! Diese Anweisung ist nach der Abfahrt des Zuges dem Gefangenen laut vorzulesen."

Daß Hafiz ein Vorbeter war, stellte sich am Opferfesttag heraus, als er dem rituellen Gebet vorstand. Mit Ausnahme des Schreibers saßen alle Soldaten im Eßsaal hinter ihm und beteten. Hafiz war schlank, großgewachsen; ein Soldat, der seine Aufgaben gewissenhaft erfüllte. Nachdem sich der Dampfpostzug in Bewegung gesetzt hatte, sprach Hafiz als erster: "Warum hast du keine Fahrkarte gekauft? Wir sind Soldaten, aber für den Gefangenen hätten wir eine kaufen sollen. Was sagen wir, wenn die Kontrolleure kommen?"

Der Schreiber lachte und öffnete den Kragen.

"Mein kleiner Hafiz, denk doch mal nach: Wir haben

den Ausnahmezustand! Kann da ein Kontrolleur einen Soldaten nach der Fahrkarte fragen? Siehst du nicht, daß die Polizisten, die uns vor dem Ausnahmezustand nicht beachteten, uns seit sechs Monaten grüßen? Letztens hat mich einer sogar zum Essen eingeladen."

Der Schreiber saß dem Anarchisten gegenüber, Hafiz saß neben ihm. Sie schlossen die Tür des Abteils, so als ob das Abteil besetzt wäre. Hafiz sah seinen Vorgesetzten an. Dieser legte seine Waffe auf den freien Nachbarsitz, zog seine Uniformjacke aus und hängte sie an den Garderobenhaken.

"Los Hafiz, lies mal diese Anweisung vor, damit unser Mitreisender merkt, was für eine wichtige Persönlichkeit er ist!"

Hafiz las die Anweisung wie einen Koranvers schnell herunter und gab sie dann dem Schreiber zurück. Der Postzug fuhr sehr gemächlich, auch auf den geraden Strecken. Ein endloses Tal und ein gleichförmiges Panorama tat sich vor ihnen auf: grüne, kniehohe Weizenfelder, darin blutrote Mohnblumen. Nach dreistündiger monotoner Fahrt wurden die ersten Elendsviertel der nächsten Stadt sichtbar. Der Postzug hielt kreischend am Bahnhof. Dampf quoll aus der Lokomotive. Die Lautsprecher kündigten eine halbe Stunde Aufenthalt an. Der Schreiber zog seine Uniform an und setzte seine Mütze auf.

"Ich steige aus. Komme gleich wieder. Paß gut auf!"

Nach einer Viertelstunde kam er wieder. Er hatte eine große Flasche Anisschnaps, Wasser, Brot, Tomaten, Käse, geröstete Kichererbsen und Zigaretten eingekauft. Als er bemerkte, daß Hafiz ihn mit erstaunten Augen ansah, sagte er: "Keine Angst, Bruder Hafiz, du kannst für mich beten und ich trinke auf dein Wohl. Keine Angst, er wird nicht fliehen, selbst wenn er fliegen könnte."

Der Schreiber zog seine Jacke aus und hängte sie wieder auf. Er bereitete auf Zeitungspapier die Mahlzeit vor. Er teilte das Brot und reichte Hafiz einen Teil und einen anderen dem Gefangenen. Bevor er selber mit dem Essen begann, füllte er zwei Teegläser mit Schnaps und Wasser. Ein Glas stellte er vor den Gefangenen hin. Seine Bewegungen hatten die Langsamkeit einer rituellen Handlung. Er schaute sein Gegenüber an und lächelte: "Ich bin 25 Jahre alt und arbeite seit meinem 16. Lebensjahr. Drei Jahre habe ich studiert, konnte aber keinen Abschluß machen. Tausende von Studenten mußten ihr Studium abbrechen. Diejenigen, die es geschafft haben, fuhren ins Ausland, die anderen mußten zum Wehrdienst. Einige leisten ihren Dienst als Gefängnisaufseher ab. Du hast sie bestimmt gesehen. Ich hatte Glück und mache meinen Dienst als Schreiber bei der Gendarmerie. Ich habe nur noch ein paar Tage. Mein Dienst ist bald zu Ende. Ich bin optimistischer als du dir sicherlich vorstellen kannst. Ich werde ins Ausland gehen. Versuch nicht, zu fliehen, damit keiner von uns draufgeht. Es hat keinen Zweck. Falls du zu fliehen versuchst, muß ich schießen."

Nach dieser langen Rede legte der Schreiber die Dienstwaffe auf seine Knie. Er versuchte zu lachen:

"Schau, sie ist nicht geladen."

Erst jetzt lud er mit den spitzen Neunmillimeterpatronen die Waffe. Er führte die letzte Patrone in den Lauf. Er entsicherte die Waffe und legte sie neben sich. Dann wandte er sich Hafiz zu:

"Los, mach die Handschellen ab, damit wir essen können. Schau mich nicht so entgeistert an. Soll er mit Handschellen essen? Los, los, laß uns für Allah eine gute Tat vollbringen. Vergiß nicht: Ich bin verantwortlich, ich habe das Oberkommando für den Transport."

Hafiz kniete nieder und öffnete die Ketten am Fuß, dann an der Hand. Der Gefangene griff mit zitternder Hand nach dem Glas. Mit dem Handrücken wischte er den Schweiß von seiner Stirn. Er schaute den Schreiber an und sagte: "Danke, zum Wohl!" Die vierundzwanzigstündige Postzugfahrt hatte die drei müde gemacht. Die Soldaten verließen mit dem Gefangenen die Straßen der Stadt und bogen in einen staubigen Weg ein. Die Sonne brannte über ihren Köpfen und schien sie zu verfolgen. Sie fühlten die unerträgliche Schwere der Hitze auf ihren Schultern. Die Ernte auf den Feldern war von der Sonne gebleicht. Die Soldaten versteckten ihre Uniformmützen unter ihre Gürtel. Die weißen Taschentücher hatten sie um den Hals gebunden. Sie mußten noch anderthalb Stunden laufen, bevor sie den Gefangenen übergeben konnten.

Etwas später sahen sie auf einem baumlosen, roten Abhang bereits die Gebäude der Garnison. Der Gefangene lief mit vor dem Bauch zusammengeketteten Händen zwischen den beiden Soldaten. Kurz bevor sie aus dem Zug ausgestiegen waren, hatte er seine Hände dem Schreiber hingestreckt. Dieser forderte seinen Kollegen auf: "Leg die Handschellen an, aber mach sie nicht zu fest." Während des ganzen Weges wechselten sie kein Wort miteinander.

In dem Moment, als sie auf einer Anhöhe ankamen, hielt vor ihnen plötzlich ein Jeep. Durch die von den Bremsen verursachte Staubwolke hindurch erkannten sie einen Oberkommandanten, der verärgert zu ihnen sah: "Ihr Ochsen, geht Ihr im Dorf Eier sammeln? Warum lauft Ihr mitten auf der Straße? Hier fahren nur Militärfahrzeuge auf der Straße, wißt Ihr das nicht? Und du, Staatsfeind, Anarchist, vom Wehrdienst weglaufen ist schlimmer als schwul zu sein! Hat dich die Unbequemlichkeit gestört? Du hast unsere Ehre mißachtet! Wir werden das schon zu rächen wissen! Los, marsch, übergebt ihn!"

Bis zum Tor der Garnison wechselten sie kein Wort mehr. Der Schreiber ließ den Kommandeur des Gefängnisses benachrichtigen. Die erforderlichen Papiere wurden ausgetauscht. Die Soldaten, die sie umzingelten, blickten den Gefangenen rachsüchtig an, knirschten mit den Zähnen und fluchten. Die Übergabe wurde quittiert. Der Schreiber ließ dem

50

Gefangenen die Handschellen abnehmen. Die Einladung zum Ausruhen und Essen schlug er ab. Als sie sich verabschieden wollten, begann er mit zittriger Stimme zu sprechen:

"Der Gefangene ist sehr müde. In unserer Wache wurde er tagelang mit Sandsäcken traktiert. Er könnte jeden Moment innere Blutungen bekommen. Ich weiß, Ihre Wachen werden ihn auch schlagen. Ich wollte es nur sagen. Vielleicht bricht er nach dem nächsten Schlag zusammen und stirbt ihnen weg. Also, auf Wiedersehen."

Als der Zug sich der Stadt näherte, wurde der Schreiber nachdenklich. Er hatte es geschafft, den Anarchisten bei seiner Einheit abzuliefern. Trotzdem war er darüber nicht glücklich. Er hatte während der Rückfahrt nicht schlafen können. Er blätterte ohne zu lesen in den Büchern, die er am letzten Bahnhof gekauft hatte. Sein Kamerad hatte während der ganzen Fahrt geschlafen, stolz, seinen ersten Gefangenentransport erfolgreich beendet zu haben.

Als sie ihre Gendarmeriewache erreicht hatten, meldete man ihnen: "Der Gefangene ist geflohen! Wir haben es im Radio gehört. Gestern abend ist er aus dem Militärgefängnis geflohen."

Von *Frau zu Frau*

Sie klingelte und wartete. Von drinnen kam kein Geräusch. Sie klingelte erneut, diesmal sehr lange. Wieder kein Geräusch. Sie ging zur Nebentür und drückte auf die Klingel mit dem Namensschild "Aynur Yüksel".

"Wer ist da?"

"Ich bin's ... ich ... Feride!"

Kurz darauf öffnete eine junge Frau die Tür und schaute erstaunt.

"Ja bitte, suchen Sie jemanden?"

"Ich suche Emine, die nebenan wohnt. Wir waren verabredet. Heute ist doch Sonntag, nicht wahr?"

Aynur nickte unwirsch mit dem Kopf.

"Es hat keinen Zweck, sie zu suchen. Entweder ist sie zu ihrem Mann ins Gefängnis oder zu ihrem Geliebten. Am besten geben Sie die Suche auf. Woher kommen Sie denn, ist es weit?"

Feride war wütend, daß jemand, der sie zum ersten Mal sah, so gereizt reagierte. Wäre sie denn gekommen, wenn sie das gewußt hätte?

"Ich bin extra aus Kalk gekommen. Grüßen Sie sie von mir! Ich gehe. Danke. Auf Wiedersehen!"

Während sie sich umwandte, um zu gehen, trat Aynur aus der Tür und hielt Feride sanft am Arm fest. Sie war immer noch gereizt, aber ihre Stimme klang herzlich: "Einen Moment noch ... bleiben Sie! Bitte, kommen Sie herein! Trinken Sie einen Tee oder etwas Kaltes, damit Ihre Müdigkeit vergeht!" sagte sie und machte eine einladende Handbewegung. Mit einem Lächeln und mit versteckter Freude trat Feride ein, denn sie war wirklich müde. Dreimal war sie mit der Straßenbahn umgestiegen, um nach anderthalb Stunden den Melatengürtel zu erreichen, den die türkischen Kölner Melahat Kurtul* nennen. Sie setzte sich in den erstbesten Sessel im Zimmer, während Aynur in das hintere Zimmer eilte.

Die fensterlose Nische Feride gegenüber war als Küche eingerichtet. An der Wand waren Schränke angebracht, die teilweise verglast waren. Ein kleiner Tisch, zwei Klappstühle, Kühlschrank, Spüle, Elektroherd ... Ungeöffnete Kartons, auf denen man die verschiedensten Abbildungen sehen konnte, waren bis unter die Decke nebeneinander und übereinander gestapelt, fein geordnet wie die Hochhäuser an der Küste Izmirs, in vielen Farben. Neben den Kartons lagen wahllos gestapelte Bücher.

Wenig später kam Aynur umgezogen zurück und setzte sich. "Was haben Sie mit dieser Emine zu tun? Haben Sie Schulden oder Forderungen, oder kommen Sie aus derselben Stadt?" fragte sie und stand abrupt auf. Nachdem sie die Teekanne mit Wasser gefüllt und auf den Herd gestellt hatte, setzte sie sich wieder in den Sessel.

Während Feride den Kopf senkte, als hätte sie die Frage nicht gehört, bemerkte sie Aynurs violett lackierte Fußnägel, die aus ihren hochhackigen, weiß glänzenden Hauspantoffeln herausschauten. Ihr Blick glitt hinauf, über die weiße Lederhose und die zitronenfarbene Bluse, die zur Zeit in Mode war. Als ihre Blicke sich mit denen Aynurs trafen, dachte sie:

"Wen ich auch in diesem Deutschland kennenlerne, alle wirken irgendwie gekünstelt. Entweder sind sie übertrieben herzlich, hilfsbereit oder mitleidlos hochnäsig, wie die hier. Schau' sie bloß an! Sie trägt blondierte Dauerwellen wie eine Deutsche. Wie schön ihre mandelförmigen grünen Augen sind! Aber ihre Hände sind faltig wie bei einem Mann. Das

* "Befrei' dich, Melahat"

ist eindeutig ein Zeichen dafür, daß sie lange am Fließband oder als Putzfrau gearbeitet hat."

Mit einer leichten Kopfbewegung ordnete Feride ihr hüftlanges pechschwarzes Haar und unterbrach die Stille: "Ich habe Emine bei einer Bekannten kennengelernt. Sie ist eine gute Freundin."

Aynur stand auf und öffnete den Geschirrschrank. Mit dem Rücken zu Feride gewandt sagte sie: "Es gibt keine schlechten Menschen auf der Welt. Im Grunde sind alle Menschen gut. Wieso bloß kommen trotzdem so viele Probleme auf uns zu?"

Mit zwei Gläsern in der Hand kam sie zurück und fragte strahlend:

"Was möchten Sie trinken, Tee oder Kaffee? Bitte, duzen wir uns - wenn du einverstanden bist. Wenn ich siezen muß, komme ich mir wie eine Schauspielerin vor. Ich bin dann unruhig und kann nicht ausdrücken, was ich sagen will. Das Wasser kocht; sollen wir Tee oder Kaffee trinken? Oder ..."

Dabei zwinkerte sie mit den Augen und fügte hinzu: "Sollen wir etwas Alkoholisches trinken?"

"Nein danke. Eine Zeitlang habe ich sehr viel Bier und anderen Alkohol getrunken. Jetzt trinke ich nur ab und zu ein Glas Wein. Und selbst das wirft mich schnell um. Trinken wir lieber Kaffee."

Aynur machte vor Verwirrung ganz große Augen, weil Feride das so locker und selbstverständlich sagte. Dann brach sie in schallendes Gelächter aus. Eine Hand stemmte sie in die vorgestreckte Hüfte, und die andere schwenkte sie durch die Luft, als würde sie singen.

"Oohh Maaann! Wie kann man denn jetzt Kaffee trinken? Laß mich einen französischen Rotwein öffnen, damit wir besser quatschen können. Ich platze vor Einsamkeit! Also wirklich, ich würde sterben, wenn ich nicht reden könnte!"

"Ich langweile mich auch sehr, wenn ich mit niemanden reden kann. Aber was soll ich machen - allmählich habe ich mich an meine Einsamkeit gewöhnt", seufzte Feride. Sie richtete ihre Augen auf die Tischdecke, auf der viele Hirsche mit kleinem Kopf und großem Geweih abgedruckt waren. Sie versank in Gedanken ...

... Ein heißer Juliabend, ein Juliabend, an dem ihr siebzehnjähriges Temperament ihren ganzen Körper erfaßt und sich in ihren gerade aufgeblühten Brüsten gesammelt hatte. Ihre beste Freundin würde am nächsten Tag heiraten und feierte in der Hennanacht Abschied von ihrer Mädchenzeit. Feride war in Schweiß gebadet, während sie mit den anderen Mädchen Halay nach dem Lied "Kameltreiber, führe die Kamele zum Horizont" tanzte.

Dabei umklammerten sie ihre Hände so fest, daß diese blau wurden. Unter ihren hüpfenden Schritten bebte der Boden. In dieser Nacht verspürte sie eine unbeschreibliche Erregung. Ohne den Sonnenaufgang abzuwarten, hatte man sie an diesem Abend versprochen.

Ömer Demirci aus der Nachbarstraße in ihrer Kleinstadt hatte sich nach fünfzehnjähriger Ehe scheiden lassen, weil seine Frau keine Kinder bekommen konnte. Nun war er aus Deutschland angereist, um ein Mädchen zum Heiraten zu finden. Er bat um Ferides Hand, sei es wegen ihres zierlichen Körpers oder ihrer schwarzen Augen.

"Sie soll hier nicht in Armut leben, ich nehme sie mit", sagte er.

In einer hellen Julinacht, genau siebzehn Tage nach jener Hennafeier, die einem anderen Paar gehörte und in der sie schweißgebadet war, erlebte sie ihren Mann Ömer Demirci; wie er auf ihr lag, mit seinen goldenen Zähnen, in all seiner Schlappheit, die für einen Vierzigjährigen verfrüht war. Sie hatte diese Nacht nie vergessen.

Sie erzählte nicht, daß ihr Mann sie vor die Tür gesetzt hatte, als die Polizisten sie und ihre zwei Monate alte Tochter Evsen, die sie an die Brust gepreßt hielt, ins Präsidium mitnahmen und ihr warmen Tee anboten, während sich die neblige Kälte des Aprils über Kölns kleine, dunkle Gassen legte.

Sie sprach nie von ihrer Vergangenheit. Sie erzählte auch am nächsten Tag im katholischen Frauenhaus der Sozialarbeiterin Ulrike nichts davon, obwohl die mit ihren blauen Perlenaugen danach fragte.

Das Volkslied "Kameltreiber, führe die Kamele zum Horizont", wonach sie in jener Julinacht getanzt hatten, sticht bei der Arbeit mit jeder Schraube, die sie an die Nähmaschinen schraubt, ins Herz ...

Aynur wurde munter, als wolle sie die Freude an ihrer Rolle als Gastgeberin nicht verlieren und sang leise ein fröhliches Lied vor sich hin, dessen Text man nicht ganz verstand. In kurzer Zeit hatte sie den Tisch mit eingelegtem Gemüse, Schafskäse, türkischer Wurst, Bananen, Orangen, Äpfeln und Nüssen gedeckt.

Aus dem kleinen Kühlschrank nahm sie eine Flasche Wein, klemmte die Flasche zwischen die Beine und zog mit dem Öffner den Korken heraus. Mit einer kleinen Drehbewegung des Zeigefingers klaubte sie die Korkenkrümel aus dem Flaschenhals, ohne auf Feride zu achten. Die Finger wischte sie an der Bluse ab. Sie kam zum Tisch zurück und füllte die Gläser bis an den Rand. Darauf zog sie eine Zigarette aus der Schachtel und bot Feride auch eine an. Mit einem fröhlichen Lächeln sagte sie:

"Prost! Wir sollten nicht so langweilig dasitzen."

Während sie in einem Schluck ihr Weinglas halb leerte, fuhr ein Zug nahe der Wohnung vorbei, und sein Dröhnen drang durch das Fenster ins Zimmer. In dieser kurzen Zeit, die wie tausende von Minuten erschien, wandte Aynur ihre Augen nicht vom Fenster ab, bis alle Waggons vorbeigedonnert waren. Die Helligkeit, die durch die kleinen Fenster des Hauses fiel, wurde am Tag zehn-, hunderttausendmal durch diese Züge verdunkelt. Ihre Wucht erschütterte den Boden, die Häuser und die Menschen darin jedesmal bis in die Tiefe. Der Glanz in Aynurs Augen erlosch. Sie wandte den Kopf und betrachtete Feride traurig.

... Sie lacht beinahe. Ihr Blick ist unschuldig, naiv. Mutlos. Nie schaut sie in meine Augen. Vielleicht ist sie hinterhältig? Sie blickt mal zu mir, mal auf den Boden und lächelt. Sie beteiligt sich gar nicht am Gespräch, sie hört nur zu. Was gibt es hier zu lachen? Hast du ein Recht zu lachen?

Die so sind, kannst du an der Hand halten und bringen, wohin du willst, wie ein Kind. Hat man uns nicht auch so hierher geschickt, ohne das Für und Wider zu bedenken? Sie trägt offene Schuhe mit Riemchen, die auffallend grün sind. Dazu hat sie eine grüne Tasche mit gelber Kette, wie passend! Sie glaubt, modern zu sein, wenn sie ihr Gesicht stark schminkt. Wenn sie im Urlaub in die Heimat fährt, wird sie naserümpfend sagen: "Unser Köln ist voll von Kopftuchträgerinnen." ...

Während Aynur sich in solche Gedanken verlor, betrachtete Feride die Vitrine, in der interessante gläserne Fische und Pferde standen und zwischen handgearbeiteten vielfarbigen Blumen ein silberfarbener Rahmen mit dem Foto eines netten kleinen Mädchens sorgfältig plaziert war. Gerade als sie fragen wollte "Deine Tochter?", lächelte Aynur mit hochrotem Kopf. Sie schämte sich, als ob ihre Gedanken gehört worden wären.

Sie sagte: "Warum sagst du nichts? Gibt es nichts zu erzählen? Sieh mal, dein Weinglas ist leer. Bedien' dich einfach, ohne zu fragen. Schlecht gelaunte Menschen machen mich traurig. Erzähl mir ein bißchen aus deinem Leben oder über deine Liebe.

Weißt du, Feride, es ist gelogen, daß die Tiere durch Kämpfe und die Menschen einander durch Liebe nahekommen. Die Menschen sind es, die in der heutigen Zeit kämpfen. Hast du beobachtet, wie liebevoll und geduldig sich ein Hengst und eine Stute, ein Vogel einem anderen Vogel und ein Bock einem Schaf nähert? Wir können uns nicht durch die Liebe verständigen. Nur in Filmen und Videos gibt es so etwas. Wir reden miteinander und erzählen unsere Sorgen. Wir lernen uns dadurch kennen und lieben, daß wir miteinander sprechen. Erzähl du doch irgendetwas - bist du allein, verheiratet, geschieden, hast du Freunde oder nicht, arbeitest du? Bitte, sprich doch!"

Feride, die zum ersten Mal jemandem begegnet war, der so redete, schaute, während sie Aynur zuhörte, auf das Poster an der Wand, auf dem sich eine blonde Frau und ein farbiger Mann umarmten. Ferides Wangen fieberten. Ihre Hände wurden feucht und ihr Körper erhitzte sich. Plötzlich begann sie, aus voller Brust zu lachen, obwohl sie sich beherrschen wollte. Im Lachen suchte sie einen Grund für ihren Ausbruch. Sie fand keinen und lachte noch mehr. Schließlich konnte sie es mühsam unterdrücken: "Aynur, du sagst, ich soll reden, aber du läßt mir keine Möglichkeit. Du erzählst alles so schön, daß dir das, was ich erzähle, trocken vorkommen wird. Ich kann dich nicht zum Lachen bringen. Mein Mann, der jahrelang von seiner früheren Frau kein Kind bekommen hatte, bekam, nachdem er mich geheiratet hatte, ein Mädchen. Statt vor Freude in die Luft zu springen, behauptete er, das Kind sei nicht von ihm. Er hat mich rausgeschmissen und seine frühere Frau wieder zu sich genommen. Damals habe ich mit meinem Kind sechs kummervolle Monate in einem Frauenheim verbracht. Ich habe dort Rauchen, Trinken und etwas Deutsch gelernt. Sie haben mir sehr geholfen, dafür bin ich dankbar. Ich bekam eine Arbeitserlaubnis, mietete eine Wohnung und lebte allein. Eine deutsche Frau sorgt für mein Kind. Das deutsche Jugendamt zahlt dafür und kassiert das Geld von meinem Mann. Das ist alles."

"Immer dieselbe Geschichte", murmelte Aynur,

nahm mit geübtem Griff eine Zigarette und bot auch Feride eine an. Sie dachte über vieles nach, und ihre gute Laune war verflogen. Nach einem tiefen Zug aus der Zigarette blies sie den Rauch heftig heraus:

"Hast du beim Kommen die Wiese vor dem Haus gesehen? Die Türkinnen aus der Umgebung, egal ob mit oder ohne Kopftuch, nehmen ihre Handarbeiten wie in ihren Dörfern hervor, wenn ihre Männer zur Arbeit gegangen sind und die Sonne herausgekommen ist. Und sie setzen sich auf die Wiese, als ob es keinen anderen Platz gäbe."

Feride unterbrach Aynur, während sie die Augen aufriß:

"Ich ärgere mich auch über sie. Ihretwegen verachten uns die Deutschen. Wenn ich mich langweile, setze ich mich in den Park. Ich gehe in Cafés und sogar in Kneipen. Wenn doch diese Einsamkeit nicht wäre!"

Aynur ärgerte sich, daß sie unterbrochen worden war. Ihrerseits fiel sie Feride ins Wort und fing mit lauter Stimme an:

"Laß jetzt die Einsamkeit! Ich ärgere mich furchtbar über solche Leute. Warum ich mich ärgere? Erstens schicken sie ihre Kinder in Korankurse, nur damit sie selbst besser faulenzen können. Zweitens geben sie sich nach außen hin als strenggläubige Moslems, aber in Wirklichkeit benehmen sich ganz anders. Drittens erzählen sie hinter meinem Rücken unwahre Geschichten über mich. Dabei würden sie alles hergeben, um so frei zu sein wie ich."

Nachdem Aynur das gesagt hatte, füllte sie schnell ihr Glas mit Wein. Ihre Augen glänzten und die Wangen waren gerötet. Es war nicht zu erkennen, ob das vom Alkohol oder von ihrer Wut kam. Sie hob das Glas behutsam wie eine Feder, schloß die Augen und leerte es in einem Zug. Als Beilage nahm sie eine Scheibe Schafskäse. Sie drehte den Kopf einmal nach rechts und dann nach links. Mit zitternder Hand machte sie eine Bewegung, als wolle sie etwas erzählen. Sie sah aus, als überlege sie: "Was soll ich sagen? Wie soll ich es sagen?" Sie wußte nicht, ob sie alles erzählen oder sich zurückhalten sollte. Was dann folgte, kam sehr leise aus ihrem Mund, kaum hörbar:

"Aber was soll ich tun? Manchmal fühle ich mich allein wie ein kleiner Vogel, der aus dem Nest geworfen wurde. Ich fühle mich, als ob meine Flügel gebrochen wären. Laß, frag' nicht. Ich bin schon wieder still."

Feride hob schwerfällig den Kopf. Sie sah Aynurs glänzende, vielleicht auch feuchte Augen und murmelte:

"Verdammtes Deutschland! Wären wir so allein, wenn in unserer Heimat alles in Ordnung wäre?"

Sie ließ den Atem los, den sie in sich gefesselt hatte. Aynur wandte das Gesicht zum Fenster, als ob sie nichts gehört hätte. Die Abenddämmerung senkte sich über das Fenster wie ein Vorhang, der von unsichtbaren Händen langsam zugezogen wurde. Ohne die Augen davon abzuwenden, begann Aynur zu reden, als spräche sie mit einer unsichtbaren Person: "Wenn ich mich so fühle, kommt es vor, daß ich mich zu diesen Leuten setze. Ich höre zu, was sie reden. Ich spaße und lache mit ihnen. Neulich habe ich ihnen sogar von meinen Sorgen erzählt. Ich liebte einen großen Mann mit schwarzen Brauen und dunklen Augen. Mein Vater, dieser hartherzige Kerl, ließ uns nicht heiraten. Er sagte, er gibt seine Tochter keinem Frauenfriseur. Er gab mich einem viel älteren Mann mit einem Mund wie ein Goldgeschäft."

Feride ergriff lebhaft das Wort: "Das ist genau mein Schicksal. Aynur, wo arbeitet dein Mann, was macht er?"

"Was er macht? Was soll der Hund machen - er ist Zuhälter!"

"Wie Zuhälter? Heißt das, ... entschuldige ... mit deutschen Frauen? Oder hat er etwa eine Kneipe?"

Aynur fing schallend an zu lachen. Sie lachte und

lachte und konnte nicht aufhören. Sie zeigte mit dem Finger auf Feride, als wollte sie sagen: "Schau dir die an!"

Sie konnte ihre Tränen nicht zurückhalten und schluchzte mehrere Male. Endlich gewann sie ihre Beherrschung zurück und sagte abgehackt:

"Du bist sehr naiv, Feride. Er hat sich von seiner ersten Frau scheiden lassen. Dann heiratet er nochmal, er läßt sich wieder scheiden. Dann vergißt er, daß er vierzig Jahre alt ist, und heiratet mich. Ich war gerade achtzehn. Vor drei Monaten hat er sich auch von mir scheiden lassen. Ich frage dich, was ist dieser Mann, wenn nicht ein Zuhälter?"

Erster Kanal

Die Geschichte fing damit an, daß die Frau schrie: "Den neuen Farbfernseher habe ich bezahlt! Also kann ich den Kanal einschalten, den ich will! Der Orient-Teppich gehört mir, die Bücher in der Bibliothek auch!"

Der Mann stand derweil in der Küche, um das Essen vorzubereiten. In der rechten Hand hielt er ein langes, scharfes Messer und tranchierte das Fleisch.

Langsam näherte er sich seiner Frau, die immer noch in die Bildröhre starrte und nervös von der Sportübertragung zur Unterhaltungssendung umschaltete. Sein linkes Knie begann zu zittern.

Er schlug die Tür hinter sich zu. An diesem lauen Sommerabend trübte kein Wölkchen den Himmel. Eben erst waren die Straßenlaternen angegangen; ihr hellgelbes Licht hatte die Straßendecke noch nicht erreicht. Er trug ein dünnes Hemd und eine Baumwollhose. Seine bloßen Füße steckten in schlichten Ledermokassins. Er sah auf das kleine Auto seiner Frau. Alle Scheiben waren voller Staub.

Im Badezimmer betrachtete die Frau ihr vom Waschen noch nasses Gesicht im Spiegel. Es schmerzte und sie hielt es dicht an die Glasfläche. Sie war froh, daß weder die Lippe geplatzt noch das Auge geschwollen war. Lange spritzte sie sich immer wieder kaltes Wasser ins Gesicht, dann kühlte sie es mit Eis aus dem Gefrierfach. Sie ging in das halbdunkle Kinderzimmer und betrachtete ihre schlafenden Töchter. Die eine war fünf, die andere sieben Jahre alt. Beide hatten die Augen zusammengekniffen und die Decke über den Kopf gezogen. Die Frau glaubte nicht, daß die Mädchen schliefen. Sie wollte lächeln, aber ihr Gesicht schmerzte zu sehr. Sie ging zurück ins Wohnzimmer, schaltete den Fernseher ab und setzte sich neben das Telefon. An der Wand erblickte sie die vergrößerten Baby-Fotos ihrer Töchter. Sie erhob sich und knipste alle Lampen aus.

Die Türklingel zwitscherte mit der Stimme eines Kanarienvogels. Schnell drückte die Frau auf den Türöffner. Sie öffnete die Wohnungstür einen Spaltbreit und setzte sich rasch vor den Fernseher. Sie wählte den ersten Kanal. Das bunte Licht aus dem Unterhaltungsprogramm erhellte das Zimmer. Auf dem Bildschirm drehten sich fünf Paare wie aufgezogene Puppen zum Rhythmus eines argentinischen Tangos. Sehnsüchtig erklang die Stimme des Bandoneons. Die Frau preßte den rechten Zeigefinger auf den Lautstärkeregler der Fernbedienung. Im Kinderzimmer reckten die Mädchen ihre Köpfe zwischen den Kissen empor und horchten ins Dunkel. Die Jüngere schob vorsichtig ihre Decke beiseite und kroch flink zu ihrer Schwester ins Bett. Sie klammerten sich eng aneinander.

Der Mann schob sich durch die geöffnete Wohnungstür. In einer Hand hielt er einen Plastikbeutel mit Erde. Im Badezimmer stellte er den Beutel in der Badewanne ab. Er drehte die Dusche auf und ließ das Wasser in den Beutel regnen, als würde er Blumen gießen.

Regungslos verfolgte die Frau das Unterhaltungsprogramm im ersten Kanal. Ein gutaussehender, adrett gekleideter junger Sänger sah ihr in die Augen und sang von Liebe und Glück. Im Bildhintergrund toste eine blauschäumende Brandung.

Die Kinder zogen die Decke über den Kopf und

kniffen die Augen zu. Rote und gelbe Sterne tanzten unter ihren Augenlidern.

Der Mann warf eine Handvoll nasser Erde auf den Bildschirm. Das Gesicht des hübschen Sängers verschwand. Die Frau sprang auf. Der Mann feuerte die nächste Ladung ab, diesmal auf den teuren Teppich. Mit den Füßen verteilte er den Dreck. Den Matsch auf seinen Fingern wischte er an den Glastüren der Bücherschränke ab. Die Frau sah ihn haßerfüllt an. Ihre grünen Augen waren blutunterlaufen. In ihrem Kopf pulsierte es, und ihr ganzer Körper zitterte vor Wut. Schnell und unkontrolliert schlugen ihre Hände in die Luft und in das Gesicht des Mannes. Seine Antwort schrie er heraus: "Es ist dein Fernseher! Dein Teppich! Deine Bücher! Deine Kinder! Alles ist dein, dein, dein!"

Wie ein Boxer auf einen Sandsack, so schlug er auf die Frau ein. Beim ersten Schlag platzte ihre Lippe; nach dem zweiten schwoll die Nase an. Dann traf er ihr rechtes Auge. Die Frau fiel zu Boden.

Keiner der übrigen Hausbewohner wagte der geöffneten Wohnungstür zu nahe zu kommen. Das junge Paar oben drehte den ersten Kanal lauter. Die Rentner unten diskutierten einige Minuten, ob sie die Polizei holen sollten oder nicht.

Der Mann stand im Badezimmer und rasierte sich. Dann verarztete er seine Augen mit Tropfen und benetzte seine Wangen mit Rasierwasser, jenes, für das Abend für Abend im ersten Kanal von einem bekannten Fußballstar geworben wurde.

Als die Polizei eintraf, war die Frau gerade wieder erwacht. Sie konnte nicht sprechen, sondern wimmerte bloß: "Ich werde ihn verklagen." Sie deutete auf den umgestürzten Fernseher, den verschmutzten Teppich und auf ihr Gesicht mit der geplatzten Lippe und den geschwollenen Augen. Die junge Streifenbeamtin strich sich über das Haar und richtete den Fernseher wieder auf. Aus der linken Hosentasche kramte sie ein Papiertaschentuch hervor und wischte die blutigen Lippen der Frau ab. Sie führte die Frau an den Schultern gestützt ins Badezimmer. Ihr Kollege nahm die Personalien auf und fragte die Frau:

"Möchten Sie Anzeige erstatten?"

Die Frau nickte und verkündete:

"Ich werde ihn verklagen!"

"Morgen müssen Sie zuerst zum Arzt gehen", ermahnte die Polizistin die Frau. "Vergessen Sie nicht, sich krank schreiben zu lassen. Ihren Mann nehmen wir mit!"

Die Sonne war noch nicht ganz untergegangen. Der Polizeiwagen fuhr in das milde Licht des späten Abends hinein. Der Mann kauerte neben dem Polizisten auf dem Rücksitz und blickte verstört nach draußen. Nach halbstündiger Fahrt hielt der Wagen auf einer einsamen Allee. Die Polizistin öffnete die hintere Wagentür und brüllte: "Komm raus!"

In der Ferne heulte eine Fabriksirene. Die nächsten Straßenlaternen waren weit entfernt. Der Polizist zündete zwei Zigaretten auf einmal an. Für einen kurzen Moment beleuchtete die Flamme des Feuerzeugs sein dunkles Gesicht. Er nahm eine der beiden Zigaretten aus dem Mund und gab sie seiner Kollegin.

Im Widerschein der Zigarettenglut sah man die Oberlippe der Polizistin zittern. Sie stützte ihre freie Hand auf ihren Gürtel.

"Hier ist ein zivilisiertes Land! Hier schlägt man seine Frau nicht! ... Aber leider können wir Sie nicht festnehmen. Am besten gehen Sie heute Nacht zu Freunden oder in ein Hotel. Aber gehen Sie bloß nicht nach Hause! Wissen Sie einen Freund, bei dem Sie bleiben können? Wir könnten Sie hinfahren."

Noch lange war das Dröhnen des Motors zu hören. Der Mann lief in Richtung Dunkelheit. Er suchte sich seinen Weg zwischen den kurzen, stämmigen Bäumen und stieg dann eine Anhöhe hinauf. Er blickte nach unten. Das silbrige Schimmern des Flusses nahm der Dunkelheit ein wenig Raum. Am gegenüberliegenden Ufer trotzten tausende kleiner Lichter der Nacht. Unter ihm versuchte der Fluß in seinem Bett zu schlafen.

Er saß auf dem Boden und zog die Beine an. Seine Hände hielten die Knie umschlungen. Sein Kinn ruhte auf den Knien, und in seinen Augen glitzerte eine unbestimmbare Nässe.

Tut mir leid

Ayhan öffnete die Tür des Kleiderschranks am Fuß seines Bettes. Mit dem Handtuch aus der Schublade rieb er sich durch die Haare. Gleichzeitig beobachtete er im Spiegel an der Schranktür seinen nassen Körper, der mit allen Merkmalen der Jugend und straffen Muskeln ausgezeichnet war. Er steckte den Anschluß des Föns in die Steckdose. Ohne auf den Hoca*, seinen Zimmerkameraden, zu achten, der in einer anderen Ecke schlief, begann er, sich die Haare zu trocknen. Der Hoca ging immer so früh ins Bett. Ob Werktag oder Feiertag, kaum war es acht Uhr, zack ins Bett.

Die meisten der Bewohner des Gastarbeiterheims machten sich zum Schlafen zurecht. Aus dem Spielzimmer kamen die Geräusche von Backgammon und Tischfußball. Nachdem Ayhan seine nackenlangen, lockigen Haare gefönt hatte, gab er ihnen Form, indem er den Kopf hin und her schüttelte.

Von den sauberen Hemden in der Schublade wählte er das braungemusterte, kragenlose aus. Beim Zuknöpfen fiel sein Blick auf den schnarchenden Hoca. Mit ungefähr fünfunddreißig, hellbraunem Schopf und langen schwarzen Wimpern war er ein schöner Mensch. Ayhan lachte, als er ihn anschaute.

"Sobald die Sonne untergeht, schläfst du. Du träumst von deiner Frau in Dortmund. Verehrter Hoca, was mußt du doch für eine Deutschlandgier haben! Ohne mit der Wimper zu zucken, schickst du deine blutjunge Frau vor dir hierher. Wie kannst du deine rechtmäßig angetraute Frau ganz allein nach Deutschland schicken und nicht nach Ankara oder Istanbul? Mögen sich deine Träume und Pläne erfüllen! Aber bevor du hier nicht ein Jahr abgeleistet hast, wirst du mit deiner Frau in Dortmund nicht vereint sein. Du bist mit der Fabrik ein Jahr im Vertrag, bist für ein Jahr mit der Fabrik verheiratet", murmelte Ayhan beinahe laut vor sich hin.

Er zog die Hose an, rieb sich sein Gesicht mit After Shave und Cremes ein und putzte sich heraus. Er holte die Schuhe unterm Bett hervor, kontrollierte sich wieder im Spiegel, lachte seinen Zwillingsbruder an, schmollte, schielte, setzte verschiedene Mienen auf, indem er Mund und Augenbrauen spielen ließ. Er trat näher an das Gesicht heran und sagte: "Noch bevor du sechs Monate abgeleistet hast, hältst du es schon nicht mehr durch, Ochse!"

Aus dem kleinen Kühlschrank neben dem Waschbecken holte er eine Flasche Whiskey und Mineralwasser heraus. Das Glas in der Hand, setzte er sich auf den Bettrand. Er zündete sich eine Zigarette an und schaute nach draußen. Der Mond schien kugelrund durchs offene Fenster.

In den vier Ecken des Zimmers standen vier Betten und vier Kleiderschränke. Der Schrank seines Zimmerkameraden Yilmaz war der Länge nach voll mit Bildern nackter Frauen beklebt. Es gab keine freie Stelle mehr. Yilmaz klebte die Bilder auf, um den Hoca zu ärgern. Der Hoca hielt sein Gebet, ohne sich um irgend jemanden zu kümmern, immer in diesem Zimmer ab. Und wenn er sich nach Mekka ausrichtete, mußte er sich zum Gebet zu Yilmaz' Kleiderschrank wenden. Yilmaz schnitt jeden zweiten Tag neue Frauenbilder aus alten Heften heraus und klebte sie nach dem Motto "Soll sich der Hoca beim Beten sattsehen!" auf den Schrank.

Dann sprach der Hoca ein Fesuphanallah*, beendete schnell sein Gebet, während er die Augen vor

* Ausdruck für: "Junge, Junge, das gibt´s doch nicht!"

den Bildern verschloß und setzte sich auf sein Bett, um Deutsch zu lernen. Ayhan saß da und schaute auf das halbleere Whiskeyglas in seiner Hand. Er hatte keine Eile. Er betrachtete die weißgestrichenen Wände aus Rigipsplatten und dachte, daß gleich Yilmaz und Selim angetrunken aus der Altstadt zurückkommen würden. Und beide hätten angeblich wieder unzählige Frauen kennengelernt. Ayhan wußte, daß sie ohne das elfstöckige Bordell ja doch leer ausgegangen wären. Wenn man den Eseln höchstpersönlich Frauen besorgen würde, sie würden nichts mit ihnen anfangen können. Sie kommen, langweilen dich, erzählen bis zum Morgen Weibergeschichten. Der Hoca ist der Beste. Wie schön er schläft - wie ein Kind! Seit vier Monaten gehen wir in den Deutschkurs und haben nichts gelernt. Wir können nur das, was wir von den anderen gelernt haben: "Wollen wir zusammen einen trinken? Wollen wir zusammen spazieren gehn? Wie heißen Sie? Wieviel Geld willst du?" Und der Hoca zählt uns mal eben auf Deutsch bis hundert. Was hat er nicht alles gelernt, von "Krankenschein" bis was weiß ich auf der Arbeit! Die Angewohnheit, auswendig zu lernen, hat er vom Koranrezitieren. - Ich muß abhauen, bevor Yilmaz und Selim kommen. Heute ist Samstag, Köln wartet auf mich.

Ayhan ging über den Flur. Alle zwei, drei Meter lagen auf beiden Seiten Vierbettzimmer. Er ließ die Küchengerüche und die der Wäsche aus dem Waschraum hinter sich, ebenso wie das Klappern des Backgammon aus dem Spielraum.

Er schaute zum Himmel und atmete tief ein. Am Rand des sauber geschnittenen Rasens leuchtete der Kinosaal mit seinem weißen Anstrich im Licht der Straßenlaternen. Der gute Mond hoch oben zeigte sein Gesicht und seine Augen. Mit einem glücklichen Lächeln heftete Ayhan Mond und Sterne an seine Arme und begann zu laufen.

In der Hand hielt er einen kleinen Plastikbecher

mit Joghurt, in den er zwei Löffel Honig getan hatte. Im Laufen las er die Nummern, die mit weißer Sprayfarbe auf die Front der dunkelbraunen Holzbaracken gesprüht waren, acht, sieben, sechs, fünf, Gebetsraum, vier, drei, zwei, eins. In jeder Holzbaracke lagen hundertfünfzig Arbeiter. Man hatte an alles gedacht: Zu jeder Baracke gehörten sechs Duschen, zwölf Toiletten und zwölf Küchen mit Herd.

Ayhan warf Teelöffel und Joghurtbecher an den Stacheldraht, der am Haupttor begann und die zwölf Baracken umwand. Er glaubte sich so mutig wie die alten griechischen Reichen, die einst Teller und Gläser zerschmetterten. Als er auf die Straßenbahnhaltestelle zuschritt, kamen Arbeiter aufgeregt zum Schlafen in die Baracken zurück und sahen ihn ganz allein um diese späte Zeit auf die Haltestelle zugehen. "Schade drum," sagte einer, "so ein kräftiger junger Mann! Er richtet sich zugrunde. Auf sein Geld wird er nicht aufpassen, hoffentlich paßt er auf sich auf!"

Die Straßenbahn nach Köln war leer. Lange fuhr sie ihren Weg am Ufer des Rheins. Als sie sich bog und auf die Deutzer Brücke kam, sah man plötzlich die Altstadt gegenüber. Ayhan war beeindruckt, als ob er die Altstadt zum ersten Mal sehen würde. Der über Jahrhunderte erbaute prächtige Dom stieß mit seinen beiden Türmen wie mit Schwertern in den lichthellen Himmel.

Ayhan schaute auf die Kneipen, die ihm vom anderen Ufer des Rheins entgegenstrahlten. "Treuloses Köln, geschmückt und aufgeputzt wartest du auf mich", dachte er. Als die Bahn hielt, sprang er federleicht auf den Gehsteig.

In den letzten Wochen hatte er beobachtet, wie die Altstadt sich samstags gegen Mitternacht zur Vergnügungsstätte wandelte. Die Augen der wunderschönen Frauen begannen zu schmachten. In diesen Stunden zeigten sie die Großzügigkeit, die ihnen die Trunkenheit gab. In diesen Stunden wurden die

Deutschen in der Altstadt verständnisvoller, toleranter, liebenswürdiger und aufrichtiger. Die Müdigkeit ließ sie im Theater des Lebens keine Rolle mehr spielen, und sie kamen zu sich selbst zurück. Vielleicht macht übermäßiges Trinken farbenblind, denn sie blickten die Ausländer nicht mehr so kalt an. Bestellte man ihnen dann noch mehr zu trinken, tauten manche sogar auf und sagten, wie um Vergebung bittend: "Ich bin nicht gegen Türken. Ich habe türkische Freunde."

Ayhan betrat die Altstadt, deren kopfsteingepflasterte, schmale Gassen eng verwoben waren wie das Innere eines Bienenkorbs. Unter den hunderten von Kneipen und Discotheken fand er nur in zwei spanischen Tavernen die Atmosphäre, die er suchte. Die spanische Musik, die ihn an den Duft des Mittelmeeres erinnerte, erwärmte das Blut.

Manuel aus Malaga winkte ihm zu, als Ayhan in der Tür stand. In dem Gedränge konnte man keinen Schritt gehen. Jeder hatte Weinglas, Bierstange oder Zigarette in der Hand. An den Wänden der Taverne, die eingerichtet war nach der Art alter spanischer Häuser oder wie die von Ürgüp in Anatolien, hingen die Photos berühmter Flamencotänzer und Stierkämpfer. Auf jedem der sehr niedrigen Tische standen Weinflaschen, in deren Hälsen Kerzen steckten. Sie schmolzen Tropfen um Tropfen, weinend um die, denen das Herz verbrannt ist.

Ayhan rief Manuel "Salud" zu. Wie sehr freute sich der Spanier, daß ein Neuling in Deutschland, schwarz gelockt wie er, ein Türke, ihm auf Spanisch "Prost" zurief und das Glas hob. Er erwiderte "Salud, Freund!" Ayhan stürzte das Bier hinunter und dachte: "Wie schön, alle sind betrunken, ich bin nüchtern."

Er hatte an früheren Wochenenden Erfahrungen gewonnen. Für jede Frau, die er kennenlernte, hatte er sich ein neues Herkunftsland ausgesucht. Die glänzenden, auffordernden Augen der Frauen erkalteten, wenn er sagte, daß er Türke sei. Die Frage, die ihm am meisten gestellt wurde, war: "Woher kommen Sie? Sind Sie Spanier?" - Vor zwei Monaten hatte Ayhan einmal "Ja, ich bin Spanier" gesagt. Und was war nicht alles auf ihn zugekommen! Die meisten Deutschen waren zumindest einmal schon ins sonnige Spanien gefahren und sprachen drei, vier Worte Spanisch, wenigstens soviel, daß sie Essen bestellen oder nach Plätzen der Stadt fragen konnten. Sie kannten das billige, sonnige Spanien. Nach diesem Tag hatte er nie wieder "Ich bin Spanier" behauptet. "Ich bin Türke" wollte er auch nicht sagen. Letzte Woche hatte er, um nicht "Ich bin Türke" sagen zu müssen, ein wohl weltweit unbekanntes Heimatland für sich gewählt. "Ich bin Bolivianer", hatte er gesagt. Hatte das Mädchen ihm gegenüber nicht angefangen, Spanisch zu sprechen? Ayhan hatte bis zu diesem Tag nicht gewußt, daß man in Bolivien Spanisch spricht, log, er müsse zur Toilette, und flüchtete aus dem Lokal. Wie eine schwere Last hatte Ayhan die Traurigkeit getragen, seine türkische Herkunft nicht bekennen zu können. Heute aber würde er ohne Scheu "Ich bin Türke" sagen - was auch passieren mochte, und selbst wenn er der schönsten blonden Frau der Welt begegnen sollte.

Zwei Schritte weiter stand eine junge Frau, den Rücken an die Wand gelehnt. Sie schaute immer wieder zu ihm hin, während sie das Weinglas an den Mund hob. Auch Ayhan blickte ab und zu verstohlen zu ihr herüber. Er konnte nicht lächeln, wie sehr er sich auch bemühte. Er trug an der Furcht, immer abgewiesen zu werden.

Als er in Istanbul Fernmeldetechniker war, hatte er wenigstens ab und zu eine Freundin gehabt, hatte er ab und zu eine mehr oder minder hoffnungsvolle Liebe erlebt. Mit dem Monatslohn von eintausenddreihundert Lira, den er zu Anfang der siebziger Jahre bekam, konnte er für die Freundinnen, mit denen er essen, trinken und spazieren ging, kein

Geld ausgeben. Zum Küssen und Schmusen gingen sie in die Diskotheken, in den Wald, oder auch in die Wohnungen lediger Freunde. Die einzige Möglichkeit aber, seinen Trieben freien Lauf zu lassen, waren die Bordelle in Tarlabaschi, oder Träume, denen er sich hingab, wenn er sich selbst befriedigte.

Hier aber gab es links und rechts von ihm Paare, die schmusten. Sie lehnten den Rücken an die Theke und liebkosten sich in der erregenden Wärme der spanischen Musik, in einer monotonen, reglosen Form, mit geschlossenen Augen, die Hände an Rücken und Hüften, die Lippen fest vereint. Als ob sie Andacht hielten, umarmten sie sich fast bewegungslos. Ayhan schaute sehnsüchtig nach den Paaren. Er wunderte sich, wie sie, wenn die Lippen sich berührten, wenn sie Brust an Brust standen, ganz reglos bleiben konnten, reglos, ohne zu streicheln und zuzugreifen.

Er trank schneller. Er drehte sich zu dem Mädchen, das ihn mit dem Rücken an der Wand mit langen Blicken musterte. Sie war groß und schlank. Ihre hellbraunen, glatten Haare reichten bis auf die Schultern. Ihre enganliegenden roten Jeans boten die verborgene Schönheit ihres Körpers den Augen dar. Mit einer Spannung, gegen die er nicht ankam, schaute Ayhan wieder hin. Irgendwie schaffte er es nicht, seinen Platz zu verlassen und "Guten Abend" zu sagen. Daß die Frauen sogar in der Altstadt, wo sich die Gastarbeiter am wohlsten fühlten, den Türken aus dem Weg gingen, zerstörte all seine Hoffnung. Er wunderte sich, warum man die Türken so sehr verachtete, und zerfleischte sich mit dem Gedanken, daß das doch einfach nicht möglich sein könne. Zugleich war er auf seine Feigheit und Schüchternheit wütend.

Hintereinander trank er Bier auf Bier. Sein Blick fiel auf Manuel, der im Rhythmus der tänzerischen Musik klatschte. Manuel sang leise den Text der Lieder mit. Flink versorgte er die Kunden mit Bier und

Wein. Für keinen Augenblick verließ das Lächeln seine Lippen. Er schaute Ayhan an und zwinkerte ihm zu. Als ob er fragen wollte, warum Ayhan denn nicht lächle und sich amüsiere, rief er "Hey! Amigo!" - Ayhan lächelte. "Mir ein Bier, dir einen Wein!", bestellte er bei Manuel. Und sie hoben beide im Lärm der Musik und der Menge ihr Glas und riefen "Salud!".

Ayhan bewegte sich auf das Mädchen mit den roten Hosen zu, das sich an die Wand lehnte. Die Taverne war so voll, daß alle Rücken an Rücken, Brust an Brust standen. Unter tausenderlei Schwierigkeiten näherte er sich ihr, ohne jemandem auf die Füße zu treten. Er schaute dem Mädchen tief in die Augen und begrüßte sie. Als ob sie sich freute, antwortete das junge Mädchen: "Guten Abend".

Beide verstummten, als gäbe es sonst nichts zu sagen. Ayhan hatte tausend Dinge im Kopf. Mit dem sechs Monate alten Deutsch konnte er die Worte in seinem Kopf irgendwie nicht ordnen, nicht aneinanderreihen. Er sprach aus, was ihm zuerst einfiel:

"Wie heißen Sie?"

Das junge Mädchen zog die Brauen hoch, als wollte es einen Spaß machen.

"Warum wollen Sie das wissen?"

Ayhan wußte nicht, was er antworten sollte, sagte:

"Ich hab' nur so gefragt" und zuckte dabei mit den Schultern. Jemand ging an ihnen vorbei und stieß an Ayhans Rücken, so daß sie sich ganz nahe kamen. Er spürte die Lebendigkeit ihre Brüste, den Duft ihrer Haare und das Leuchten ihrer Augen. Er holte ein Bier und einen Wein von Manuel. Er reichte das Weinglas mühevoll an Köpfen und Schultern vorbei und gab es ihr in die Hand.

"Wollen wir zusammen trinken?"

"Ja, gerne. Ich heiße Marita."

"Ich heiße Ayhan."

"Letztes Jahr habe ich Urlaub in Griechenland gemacht. Sie sehen wie ein Grieche aus."

Ayhan sagte gar nichts. Er wartete auf die Frage, die danach kommen würde.

"Sind Sie Grieche?"

Plötzlich lächelte er fröhlich.

"Ich bin Türke."

Marita sagte: "Ach so, Sie sehen gar nicht wie ein Türke aus!" und sah mit Gefallen in Ayhans weiche, braune Augen. Ayhans wohlgeformter, voller Mund ihr gegenüber wartete, bereit, zu küssen und geküßt zu werden. Sie konnten einander wegen der laut aufgedrehten Musik schlecht hören. Wenn Ayhan etwas sagen wollte, bog Marita ihren schlanken Hals ohne zu zögern zur Seite und kam seinem Mund ziemlich nahe. In solchen Momenten hätte Ayhan sie so gern an die Hüfte gefaßt und sein Knie, das ihres berührte, noch enger an sie gedrückt und ihr einen kleinen Kuß auf die Wange gegeben.

Nun hatte er endlich Marita gefunden, die offen war, nicht auf ihn herabschaute und ihn ihre ganze Natürlichkeit als Frau fühlen ließ.

Ayhan sprach den Satz aus, den er sich lange zurechtgelegt hatte:

"Sind Sie heute abend allein?"

Marita schaute auf ihre Uhr und lachte.

"Der Abend ist schon vorbei. Wir haben ein Uhr früh. Ich bin nicht allein, ich hab' einen Freund. Ich warte auf ihn."

Ayhan verstand das meiste von dem, was Marita sagte. Seine Miene veränderte sich plötzlich. So sehr er sich auch anstrengte, er konnte nicht lachen. Er ließ den Kopf hängen. "So ein Pech! Warum muß das immer so kommen? Passiert das denn immer nur mir? Warum ist sie denn so nett zu mir, wenn sie einen Freund hat, wenn sie auf ihren Freund wartet? Oder läßt sie mich wie die anderen einfach abblitzen? Ihr macht das halt Spaß. Wenn sie ihren Freund liebt, was hat sie dann seit zwei Stunden hier zu suchen? Warum läßt sie zu, daß wir hier Knie an Knie, Mund an Mund miteinander reden? Soll sie doch gefälligst zu Hause warten!" Dann schaute er Marita traurig an und fragte: "Ist es nicht schon spät? Ihr Freund kommt bestimmt nicht mehr."

Marita griff fest nach Ayhans Arm. "Er ist hier. Manuels Arbeit ist erst morgens um drei Uhr zuende."

In Ayhans Ohren dröhnte es "Manuel, Manuel."

"Wer, wer?"

"Da drüben, Manuel. Das ist mein Freund."

Ayhan konnte nicht einmal für einen Augenblick in die Richtung schauen, die Marita zeigte. Er wollte Manuel nicht in die Augen sehen. Schuldig, traurig, niedergeschlagen sagte er:

"Tut mir leid. Auf Wiedersehen."

Ohne Manuel anzusehen bemühte er sich wieder, niemandem auf die Füße zu treten und ging auf die Tür zu. Gerade als er hinausgehen wollte, drehte er sich halb herum und schaute zurück. Manuel klatschte, begeistert von der Musik, sein ständiges Lächeln im Gesicht.

Als er auf die Straße trat, fühlte er, wie die saubere Luft sein Gesicht streichelte. Wankend lief er über das Kopfsteinpflaster. Einen Moment hielt er an, um seinen Weg zu suchen. Er merkte, daß er auf den Rhein zuging. An der Kreuzung schaute er in die Ferne. Wenn er nach links abböge, käme er zum Taxistand an der Brücke, rechts zu dem schmalen Weg, der zum Dom führte. An dem Antiquitätenladen, der zwischen so vielen Kneipen, Tavernen und Restaurants trotzig weiterexistierte, bog er nach links ein. Er betrat die Taverne, aus der der Klang von Gitarren kam. Nicht so überfüllt wie die erste, war sie doch voll von Gästen. Zwei junge Spanier sangen, die Gitarren auf den Knien, alte Lieder, die die warmen Winde ihres Landes hierher brachten. Die Männer und Frauen drinnen hörten schweigend der Musik zu, tranken und versanken in ihren Träumen. Während Ayhan sich der Bar mit ihren hohen Hockern näherte, sah er an der Ecke eine junge blonde Frau mit zierlichem Gesicht. Als ob er nichts gesehen hätte, ging er mit zerstreutem Blick an den leeren Barhockern vorbei und setzte sich, ohne ihr ins Gesicht zu sehen, neben sie. Er nahm sein Bier, führte es zu den Lippen, wandte sich zur Seite und sagte zu der Frau:

"Guten Abend".

Kaum hörbar erwiderte sie leise: "Guten Abend". Sie schaute weiter den Gitarre spielenden Jugendlichen zu. In einem neuen Versuch fragte Ayhan:

"Spanische Musik ist schön, nicht wahr?"

Ohne ihn anzuschauen, antwortete die Frau:

"Ja".

Wegen ihres Desinteresses sagte er, bevor sie fragen konnte:

"Ich bin kein Spanier."

Die Frau konnte das Lachen nicht unterdrücken und drehte sich zu Ayhan. Sie musterte ihn lange.

"Ich weiß."

Während Ayhan verwirrt "Wirklich?" fragte, bot er ihr eine Zigarette an. Die Frau lachte schlau, während sie den Rauch der Zigarette einatmete, und begann, als wollte sie gut verstanden werden, Wort für Wort deutlich zu sprechen:

"Ja. Ich weiß, du bist Türke. Du kommst aus Istanbul, Izmir oder Ankara. Du bist kein Arbeiter, sondern Student. Zuerst wirst du mir jetzt Getränke bestellen. Dann wirst du mit mir schlafen wollen."

Während sie all das sagte, lachte sie, die Augen auf ihn gerichtet, und fragte dann, mit dem Zeigefinger winkend:

"Na, ist es nicht so?"

Ayhan war ganz durcheinander. Halb begriffen schwirrte ihm das, was die Frau gesagt hatte, durch den Sinn:"Du bist Türke, Istanbul, Izmir Ankara, bist Student, Haus, schlafen."

Als sei er beleidigt, nahm er, den Rücken ihr zugewandt, sein Bier. Er trank es mit einem Zug bis zur Hälfte aus. Vorsichtig sah er die Frau an, ihre Blicke trafen sich. Die Frau lächelte. Sie hob die Hand. Als sie sich ihm genähert hatte, zog sie ihre Hand plötzlich wieder fort.

Sie war dreiundzwanzig, vierundzwanzig Jahre alt, eine Handbreit kleiner als Ayhan. Wie ein schmollendes Kind begann Ayhan zu reden:

"Ja, ich bin Türke. Ich bin Arbeiter. Ich habe keine Wohnung. Im Gastarbeiterwohnheim sind wir zu viert auf einem Zimmer. Ich will dich nicht!"

Die Frau legte ihre weiße, kleine Hand, deren Haut durchsichtig schien, auf seine braune. Während sie "Warum?" fragte, kam sie ihm ziemlich nahe. Mit einem unwiderstehlichen Verlangen beugte Ayhan sich vor, um sie zu küssen. Die Frau ließ Ayhans Lippen ihre Wange treffen, indem sie den Kopf etwas zur Seite drehte. Während Ayhan ihre Hüfte mit einer Hand umschlang, ließ er seine schmetterlingsleichte Küsse von ihrer Wange bis unterhalb des Ohrläppchens, bis zum Hals hinabsteigen.

Atemlos entzog sich ihm die Frau.

"Nein, das geht nicht", sagte sie behutsam. Plötzlich öffnete sie ihr Portemonnaie, holte Geld heraus und legte es auf die Theke.

"Wiedersehen, ich habe mich schon verspätet, ich gehe", sagte sie.

Ayhans Gesicht verzog sich. Er faßte die Frau behutsam bei der Hand. Er sah sie einfach an. Irgendwie konnte er nicht sagen, was ihm in den Kopf kam. Er konnte nicht sagen: "Ich mag Sie um diese Uhrzeit nicht allein lassen. Es ist nicht meine Absicht, unbedingt mit Ihnen zu schlafen. Ich will Ihr Freund werden. Können wir uns nächsten Samstag hier treffen?"

"Bis zur Haltestelle?", konnte er gerade fragen.

Die Frau sagte nicht nein. Sie gingen zusammen auf die Straße. Jetzt scheute Ayhan sich selbst davor, ihr zu nahe zu kommen. Er ging und blickte dabei stur geradeaus. Der Stolz, nach sechs Monaten zum ersten Mal zusammen mit einer Frau auf der Straße zu gehen, schwoll ihm die Brust. Zugleich stach ihm die Angst, sie zu verlieren, auch den heutigen Tag so enden lassen zu müssen, ins Herz. Als er aufblickte, um festzustellen, wohin sie gekommen waren, erblickte er den Taxistand. Die Frau wandte sich um.

"Ich möchte mitkommen. Wir können zusammen ..."

"Nein, das geht nicht. Vielleicht ein andermal", sagte die Frau und umarmte Ayhan.

Sie lief um ihn herum auf den Rand des Gehsteigs. Beide Körper, beide Gesichter kamen auf dieselbe Höhe. Und beide entschwebten im Nu, hinauf durch das gelbe Licht der Straßenlaternen. Ayhans türkisches Hemd glitt von der Hüfte den Rücken hoch. Er spürte eine Zärtlichkeit, die er bis jetzt nie erlebt hatte. Zum ersten Mal meinte er, im Streicheln unbegabt zu sein. Zum ersten Mal war derjenige, der streichelte und liebkoste, nicht er, sondern der andere. Die Frau streichelte ihn, wie ein Mann eine Frau streichelt. Eine kleine Weile später umarmte sie Ayhan mit aller Kraft und hielt, den Kopf an seine Brust gelehnt, reglos und außer Atem inne. Ihre Hände lockerten sich. Sie ordnete Ayhans Hemd. Sie lachte mit ihren glänzend feuchten Augen. Plötzlich sagte sie:"Mach's gut!" und ging fast im Laufschritt auf das erste der Taxis am gegenüberliegenden Gehsteig zu. Bis er sie aus den Augen verlor, winkte sie ihm aus dem Taxi zu.

Ayhan schwankte zum Straßenrand hin und lehnte sich an die Hauswand. Er steckte das Hemd in die Hose, zündete sich eine Zigarette an und sah, als ob er das alles zum ersten Mal sähe, die Taxis, die Deutzer Brücke weiter hinten, das schwarze Wasser des Rheins und auch die Betrunkenen, die an die Hausecken urinierten, verständnislos an.

Die schreckliche Trauer darüber, auf halbem Weg stehengelassen worden zu sein, verbreitete sich von seinem Herzen in seinem ganzen Körper und setzte sich Knoten um Knoten fest. Die Zigarette im Mund, die Hände in den Taschen, taumelte er los. An der ersten stillen Ecke urinierte er wie die anderen Betrunkenen und stützte sich an der Hauswand ab. Aus den engen Gassen der Altstadt stürzte er auf den Rhein zu. Er wechselte auf die Rheinuferstraße, die sich den Fluß entlang von der Mülheimer Brücke bis nach Rodenkirchen erstreckt. Willenlos lief er in die Richtung, in die ihn seine müden Füße trugen. Als er sich umblickte, bemerkte er, daß er zu der Stelle gekommen war, die sein Zimmerkamerad den "Knabenpark" nannte. Die Schatten, die einzeln oder zu zweit auf den zum Fluß gewandten Bänken saßen, ließen sich nur undeutlich erkennen.

In seiner Betrunkenheit ließ Ayhan sich auf die erste Holzbank fallen, die er erreichte. Mit halb geschlossenen Augen sah er die bunten Lichter im schmutzigen Wasser des Rheins. Neben sich fühlte er die Anwesenheit eines Mannes, dessen Gesicht er in der Dunkelheit nicht erkennen konnte. Er zog eine Zigarette heraus und gab sie ihm. Mit dem Feuer an seiner Zigarette stand er auf und setzte sich taumelnd wieder hin. Im überschießenden Sog des Gefühls öffnete er den Reißverschluß an der schwellenden Hose, nahm die Hand des jungen Mannes neben sich wie ein programmierter Roboter und drückte sie auf seinen Leib.

Der Mann lächelte und näherte sich ihm mit dem Gesicht: "Tut mir leid. Aber ich bin nicht schwul."

Komm nie wieder zu mir

Vor fünf Jahren bin ich hierher gekommen und habe einen Asylantrag gestellt. Gott sei Dank bin ich total unpolitisch. Seit vier Jahren lebe ich mit einer deutschen Frau zusammen.

Ich komme nicht aus Anatolien wie die meisten unserer Türken. Ich bin aus Istanbul, aus Sariyer. Ich bin Elektriker. Die Frau, mit der ich seit vier Jahren zusammenlebe, habe ich vor zwei Jahren geheiratet. Ich habe dann Aufenthalts- und Arbeitserlaubnis bekommen. Nun habe ich mich ganz plötzlich mit dieser Frau überworfen. Seit drei Wochen lebt sie mit einem deutschen Mann zusammen. Nur einmal die Woche kommt sie nach Hause, badet und geht wieder. Bei dem Mann, wo sie lebt, gibt es noch nicht einmal ein Bad. Ich hatte in den letzten fünf Jahren noch nie Probleme mit der Polizei. Außerdem war unsere Heirat auch keine Schein-Heirat. Wir haben aus Liebe geheiratet. Ich liebe sie immer noch. Ich will, daß sie zu mir zurückkehrt. Aber sie kommt nicht. Ich habe darauf bestanden, trotzdem weigert sie sich.

Wenn ich daran denke, daß die Frau, die ich liebe, mit einem anderen Mann lebt, mit diesem Mann in einem Bett schläft und sie sich lieben, fühle ich mich zum Wahnsinn getrieben. Wenn ich nachts in mein kaltes Bett steige, merke ich, wie einsam ich auf dieser Welt bin. Je mehr ich darüber nachdenke, desto weniger kann ich schlafen und habe das Gefühl, daß ich irgendwann verrückt werde. Ich habe Angst, daß ich etwas Unberechenbares machen werde. Ja, ich habe Angst. Aus Wut heule ich. Ich kann mich immer noch nicht beherrschen. Ich bin schon achtunddreißig Jahre alt und habe noch immer keinen Halt auf dieser Welt. Hätten wir wenigstens ein Kind! Mischlinge werden besonders schön. Man kann weder das Deutsche noch das Türkische an ihnen erkennen. Sie sind entweder blond mit dunklen Augen oder sie haben dunkle Haare und grüne oder blaue Augen.

Vor ein paar Tagen brachte sie den Mann, mit dem sie lebt, mit nach Hause. Ein einfühlsamer Mensch! Aber sie, sie sagte schamlos: "Verständigt euch untereinander, ich persönlich habe keine Probleme!" Vielleicht will sie mich eifersüchtig machen, so daß ich sie schlage, damit ich in Schwierigkeiten komme und sie mich leichter los wird. Bei der kleinsten Streiterei würde die Ausländerbehörde mich in die Türkei abschieben, und das weiß auch sie genau. Dabei trägt sie doch meinen Namen, und wir haben vier Jahre das Bett geteilt! Wie kann eine Frau nur so gefühllos sein! Ich bin Türke. Ich kann so etwas nicht ausstehen. Ich bin nicht aus Anatolien hierher gekommen. Ich bin aus Sariyer, aus dem europäischen Teil von Istanbul, der Perle der Welt. Nachts tranken wir Raki am Bosporus, und gegen Morgen gingen wir fischen. Was waren das tolle Tage!

Wenn ich die Scheidung einreichte, würde die Ausländerbehörde fragen: "Warum hast du geheiratet, warum läßt du dich scheiden? War das nur eine Schein-Ehe, um hierbleiben zu können?" Und sie würden mir Aufenthalts- und Arbeitserlaubnis entziehen. Würde ich zu ihr gehen, ihr Angst einjagen und sie an den Haaren nach Hause zerren, würde sie mich bei der Polizei anzeigen, weil ich sie geprügelt und verletzt hätte. Dann müßte ich erst recht in die Türkei. Was soll ich in der Türkei? Das Leben hier ist doch ganz anders. Aber ich schaffe es nicht, mich anzupassen. Ich bekomme keinen Schlaf. Die Nächte sind endlos. Die Tage vergehen mit der Suche nach einer besseren Arbeit, doch vor lauter Gedanken enden die Nächte nie.

Vier Jahre habe ich wie ein Esel geschuftet, da liebten wir uns wie die Turteltäubchen. Noch bin ich nicht arbeitslos. Weil ich Elektriker bin, nahm mich der Vermieter anstelle des verstorbenen Hausmeisters. Hier ist die Arbeit des Hausmeisters nicht so schwer wie in der Türkei. Du mußt nicht für die Mieter von Brot bis Raki alles besorgen. Nur kleine Reparaturen und Meldungen beim Hausbesitzer, wenn die Mieter die Treppe nicht putzen; ich bin also jemand, der über das Haus wacht. Zum Glück gibt es keine türkischen Mieter im Haus. Unser Stadtteil Sülz ist sehr schön. Hier wohnen viele Studenten und viele "Grüne". Sie haben eine schöne Lebensweise. Die die Einsamkeit satt haben, wohnen zu drei Frauen und vier Männern oder zu vier Frauen und drei Männern gemeinsam. Ich beneide sie. Keiner von ihnen ist so einsam wie ich.

Wenn ein oder zwei Studenten eine Wohnung mieten wollen, reicht das Geld meistens nicht. Zwei kleine Zimmer kosten vier- bis fünfhundert Mark. Deshalb mieten sie eine Wohnung mit vier oder fünf Räumen, und jeder hat sein eigenes Zimmer. Küche und Bad werden gemeinsam benutzt. Wenn sie dann die Miete auch untereinander teilen, wird es für jeden preiswerter. Paare, die sich ein Zimmer teilen, sparen noch mehr, denn dann werden die Kosten noch einmal halbiert. Ich bin erst seit kurzem Hausmeister, aber immerhin bin ich aus Istanbul, so habe ich alles schnell gelernt. Wer nicht arbeitet und viel Zeit hat, paßt auf die Kinder auf. So können die Eltern zur Arbeit oder zur Uni gehen, ohne sich Sorgen zu machen. Noch nicht einmal ich weiß so genau, wer alles in dem Haus wohnt. Jeden Tag sehe ich neue Gesichter. Wer auf welcher Etage, wer in welchem Zimmer wohnt, weiß ich nicht. Welches Kind welcher Frau gehört, kann ich nicht unterscheiden.

Die "Grünen" sind überhaupt nicht gegen Ausländer. Mich mögen sie auch. Manchmal gehe ich zu dem Café auf der Dürener Straße. Da treffe ich immer die "Grünen". Einer von denen, er heißt Mischa, ist sehr nett. Einmal im Monat versammeln sie sich dort, essen, trinken und diskutieren. An diesen Tagen sind soviel Fahrräder vor dem Café, daß man nicht vorbeikommt. Viele der jungen Frauen bringen auch ihre Babys mit zu den Versammlungen. Während die Männer sich mit den Babys beschäftigen, können dann die Frauen stricken. An so etwas kann ich mich auch nicht gewöhnen. Mischa's Augen strahlen sehr viel Wärme aus. Immer wenn er mich sieht, sagt er auf Türkisch "Arkadasch, merhaba".* Einmal, als wir gemeinsam einen Tee tranken, erzählte ich ihm meine Sorgen. Er lachte. Je mehr er lachte, desto trauriger wurde ich. Dann hat er mich getröstet. Er rief seine Freundin Ulla zu uns. Sie haben sehr lange miteinander geredet. Dann gaben sie mir recht und sagten: "Du mußt dich scheiden lassen." Ich sagte ihnen, daß die Ausländerbehörde mir Aufenthalts- und Arbeitserlaubnis wegnehmen würde. Sie haben mir aber nicht geglaubt. "Hier ist ein demokratisches Land, niemand wird gezwungen, verheiratet zu leben", sagten sie und gaben mir etwas Hoffnung. Ich sagte zu Ulla, wenn sie mit mir zur Ausländerbehörde käme, könnte sie selbst erfahren, was sie sagen würden.

Am nächsten Tag traf ich mich mit Ulla vor der Ausländerbehörde. Auf dem langen Korridor der zweiten Etage warteten Türken und andere Ausländer vor den Türen, auf denen der Anfangsbuchstabe ihrer Namen aufgeschrieben war. Nach einer halben Stunde waren wir an der Reihe. Nachdem Ulla die Situation geschildert hatte, holte der Beamte meine Unterlagen heraus, studierte sie lange und sagte zu mir: "Sie haben erst vor kurzem geheiratet, vor zwei Jahren und drei Monaten. Man läßt sich nicht so schnell scheiden. Außerdem glauben wir sowieso

* *Hallo, Freund.*

nicht, daß die meisten Ehen aus Liebe geschlossen werden."

Ulla wurde ganz rot. Sie erzählte, daß wir Nachbarn seien und uns seit drei Jahren kennen würden. Bis vor ein paar Wochen sei unsere Ehe in Ordnung gewesen, erst als mir von der Fabrik gekündigt worden sei, hätte mich meine Frau verlassen. Der Beamte hörte zu, aber man sah seinem Gesicht an, daß er es nicht glaubte. Dann unterbrach er sie und sagte: "Ich kann nichts tun." Er stand plötzlich auf und verabschiedete sich von uns. Er hatte uns nicht einmal die Möglichkeit gegeben, etwas zu erwidern.

Als wir die Ausländerbehörde verließen, war es schon Mittag. Ulla hatte auf ihrer mit Sommersprossen bedeckten Nase kleine Schweißperlen. Gegen ihre Wut und Traurigkeit war ich machtlos. Ich wußte nichts zu sagen, was sie hätte trösten können. "Laß uns etwas essen gehen!" sagte ich zu ihr, um das Thema zu wechseln. Sie schob ihr Fahrrad neben sich her und wir gingen von der Inneren Kanalstraße in Richtung Ehrenfeld. Sie war im fünften oder sechsten Monat schwanger, lief mit ihrem Kind im Bauch aber schneller als ich. Wir gingen in einen türkischen Imbiß und aßen jeder zwei Pizzen. Immer wenn ich türkische Pizza esse, vergesse ich mein Magengeschwür. Wenn ich dann nachts wegen Magenschmerzen aufwache, schwöre ich jedesmal, daß ich nie wieder etwas Scharfes und keine türkische Pizza mehr essen werde. Außerdem, was sind schon Magenschmerzen. Je trauriger ich bin, desto mehr schmerzt es, je mehr es schmerzt, desto trauriger werde ich.

Nachdem wir das türkische Lokal verlassen hatten, ging Ulla in die erste Telefonzelle, die wir sahen. Als sie zurückkehrte, sagte sie, daß sie von einem ihr bekannten Anwalt einen Termin bekommen hätte. Als ich sagte, daß ich kein Geld hätte, um einen Anwalt zu bezahlen, meinte sie, daß es egal sei.

Das Anwaltsbüro war auf der Bachemer Straße in

der Nähe der Universität. Eine Sekretärin und ein Vorzimmer gab es nicht. Im Wartezimmer waren nur drei Stühle. Der Tisch und die Stühle im Anwaltsbüro waren so alt und unauffällig wie die im Café. Es waren drei in grün und zwei in rot, glänzend gestrichen. Der Anwalt trug eine kleine Brille mit dicken Gläsern und einen Bart, der bis zu seiner Brust reichte. Seine Haare waren streng nach hinten gekämmt und im Nacken - so wie bei den Frauen - zu einem Pferdeschwanz gebunden.

Lächelnd begrüßte er uns. Ulla erzählte laut und schnell, was auf der Ausländerbehörde geschehen war. Der Anwalt hörte aufmerksam zu. "Leider können wir nichts tun. Sie dürfen sich nicht scheiden lassen. Wenn Sie sich scheiden lassen, dann wird die Arbeits- und Aufenthaltserlaubnis ungültig", sagte er, während er in Ullas Augen blickte. Dann schaute er mich an und fügte hinzu: "Sie haben nach Ihrer Heirat ohne Probleme Ihre Aufenthalts- und Arbeitserlaubnis bekommen. Weil Ihre Frau Deutsche ist, haben Sie Ihren Antrag auf politisches Asyl zurückgezogen. Der Beamte der Ausländerbehörde hat Ulla bereits alles erzählt. Ich muß es leider wiederholen. Wenn Sie sich scheiden lassen, können Sie als Asylant nicht mehr hierbleiben. Nur wenn Sie weiterhin verheiratet sind, können Sie in drei Jahren das Recht für die Aufenthaltsberechtigung bekommen. Wenn Sie die Aufenthaltsberechtigung haben, dann können Sie sich auch scheiden lassen, ohne aus Deutschland ausgewiesen zu werden."

Seit diesem Tag, ich weiß nicht warum, wollte ich nicht mehr in dieses Café. Mischa und Ulla habe ich auch schon lange nicht mehr gesehen.

Gestern früh bin ich wieder mit Magenschmerzen und trockenem Mund aufgewacht. Wie so oft begann ich Selbstgespräche zu führen. "Seit Tagen lebst du wie ein gehörnter Ehemann, lebe wenigstens einen Tag wie ein Mann!" sagte ich zu mir.

Ohne Tee zu trinken, rannte ich hinaus. Nach langem Suchen und Nachfragen erfuhr ich die neue Adresse meiner Frau und lief über die Straßen. Ich zitterte am ganzen Leib. Die Treppen sprang ich hoch, nahm drei Stufen auf einmal. Als ich im Dachgeschoß ankam, ich weiß nicht, ob es die Anstrengung oder die Nervosität war, war ich kurz vor der Ohnmacht. Ich schrie und klopfte mit den Fäusten an die Tür:

"Anna! Anna! Mach die Tür auf. Mach auf, sage ich dir!"

Nach langem Schweigen öffnete sie mit verschlafenen Augen und mit ihrem hellblauen Negligé bekleidet die Tür.

Sie lächelte mich herausfordernd an, als hätten wir die Nacht zusammen verbracht.

In diesem Moment verlor ich die Nerven und brüllte sie an: "Ich werde dich nie mehr suchen und zu dir kommen. Komm du auch nie wieder zu mir!"

Ja, so war es. Ich ließ sie fallen. Ich hab' sie verlassen!

Hinter verschlossenen Türen

L eg dich hin! Schlaf endlich!" sagte Seher und setzte sich auf die Bettkante. Sie beugte sich über Aydin. Mit sanften Küssen versuchte sie, ihn zum Schlafen zu bringen. Vielleicht auch, ihn aufzuwecken?

Aydin, glücklich über ihre Zärtlichkeit, zierte sich.

"Du küßt so naß."

"Das habe ich von dir gelernt. Ich küsse so wie du."

"Ich küsse nicht so naß. Das bist du, die dabei alles naß macht", und er drehte einfach den Kopf von Seher weg, die sich wieder zum Küssen über ihn beugte. Wie ein Kind beim Spiel freute sich Seher, lachte, krallte ihre Fingernägel in seine Brust und sagte dabei: "Dasselbe wollte ich auch gerade tun. Jetzt hast du gewonnen. Das kriegst du zurück."

Aydin tat geheimnisvoll, und mit einem überlegenen Lächeln, von dem er glaubte, daß es Frauen gefalle, zog er sich noch mehr zurück. Er faltete sein Kopfkissen doppelt und stopfte es sich hinter den Kopf. Seher streichelte mit ihren langen Fingern den Nacken ihres Mannes und biß ihn plötzlich ins Kinn. "Tamer beiße ich auch manchmal ins Kinn, einfach so. Aus Liebe." Aydin richtete sich auf. Er wurde vom Licht der Straßenlaterne geblendet. Die kleinen Karos der Gardine spiegelten sich auf Sehers Gesicht. Er streichelte ihre Schultern.

"Tamer ist wirklich lieb. Er legt es aber auch darauf an, geliebt zu werden." Er suchte nach seinen

Zigaretten und zündete sich eine an. Im winzigen Feuerschein begegneten sich ihre Blicke. Sehers Gesicht wurde ernst.

"Du vergißt Birsen. Sie weiß nicht, woran sie bei dir ist. Du liebst sie und interessierst dich nur dann für sie, wenn sie schöne Bilder malt und gute Noten bekommt. Ich habe richtig Angst. Irgendwann wird sie ihrem Bruder Tamer und dir feindlich gegenüberstehen."

"Was sagst du? Als Birsen zwei, drei Jahre alt war, waren wir beide immer Freunde. Vergißt du das? Jetzt ist Tamer an der Reihe. Er ist zweieinhalb. Ich muß auch ihm beibringen, was Freundschaft ist. Man muß den Papa richtig kennenlernen, wenn man klein ist."

"Aber mit Birsen bist du mit einem Mal so, als hättest du die Freundschaft mit ihr aufgegeben. Jetzt hast du plötzlich angefangen, dich ganz und gar als Vater aufzuspielen. Hol' die Zeitung! Hol' Sprudel. Gib das Feuerzeug!"

"Sie soll sich früh daran gewöhnen. Später können wir sie in dieser Hinsicht nicht mehr erziehen, dann läßt sie sich nichts mehr sagen."

"Aber du weißt gar nicht, wie empfindsam sie geworden ist. Sie ist so richtig lieb."

"Genau wie du. Wie ihre Tante Güler. Wie soll ich sagen, mehr als lieb. Viel zu lieb. Ich will nicht sagen: dumm ... Aber das bringt nichts. Wir wollen gute Kinder groß ziehen. Wenn sie morgen erwachsen sind, bekommen sie große Schwierigkeiten. Sie werden Ungerechtigkeiten und Tausenden von Betrügereien begegnen. Und dann stehen sie genauso ratlos da wie wir."

Seher sah mit ihren traurigen schwarzen Augen aus dem Fenster in die Dunkelheit.

"Was Tamer betrifft, da urteilst du nicht in der gleichen Weise. Er soll sportlich sein und sich prügeln können, sagst du. Und da gibst du ihm sogar noch selbst Unterricht im Kämpfen, und ihr rollt auf dem

Boden herum und rauft und ringt." Obwohl sie Zorn und Kränkung fühlte, unterdrückte sie den Funken in ihrem Herzen, um nicht vor Wut zu platzen. Gegen Aydins Verständnislosigkeit gegenüber Birsen setzte Seher Liebe ... Ach, würde sie doch in Ankara im Kindergarten als Erzieherin arbeiten und die Kinder nach ihren Vorstellungen erziehen können! Wie würde sie die Kinder lieben, die sich hier bis zum Abend selbst überlassen waren! Aber sie war ja nicht in Ankara, sie war in Köln. Sie sah auf Aydins Gesicht in der Dunkelheit, er rauchte im Bett. Als er Zigarettenrauch einsog, erhellte das rötliche Licht der glimmenden Glut sein schönes Gesicht. Wie im Wachtraum kreisten Sehers Gedanken in den letzten Tagen um die Türkei. Was war das für eine Sehnsucht?

Schon am dritten Urlaubstag war ihre Sehnsucht nach den Eltern verflogen. Man wußte, daß die Eltern ganz nah waren, und es wurde langweilig.

Von den Freunden, den lieben Menschen, der schönen Heimat, vom Raki-Trinken am Strand, wobei man Volkslieder sang, und vom Erzählen und einander das Herz ausschütten bis zum frühen Morgen - von all dem bekam man freilich nicht genug. Aber den Leuten, die man dort kennenlernte, ihrem dummen Gerede über Deutschland und ihren verletzenden Fragen Antwort zu geben, war ermüdend gewesen. So wie es einem hier auf die Stirn geschrieben zu sein scheint, daß man Türke ist, so wußten die Leute dort sofort, daß man ein Deutschländer war. Man war auch im eigenen Land Fremder, Auswanderer, eben Almancı.

Mit gemischten Gefühlen sah Seher Aydin an, der sie mit schläfrigen Augen betrachtete. Bei all ihren Gedanken fühlte sie in ihrem Herzen, daß sie ihn sehr liebte. Es bekümmerte sie, daß er sich abends vor Müdigkeit wie ein Sack auf das Bett fallen ließ, bis spät in die Nacht trank und nicht einschlief und morgens dann nicht aufwachen konnte.

"Los, mein lieber Aydin! Morgen um sechs mußt du

die Karte in die Stechuhr stecken. Schlaf endlich! Die Fabrik gehört nicht dir. Eines Tages wird man dich wegen deiner Verspätungen rauswerfen. Ich habe noch etwas zu nähen. Gleich komme ich auch. Wenn ich noch zehn Röcke säume, reicht es für heute."

Aydin zog an seiner Zigarette und ließ die Glut im Dunkeln rot aufleuchten. Er richtete den Oberkörper auf und drückte die Zigarette im Aschenbecher aus. Während er den Rauch aus dem Mund ausblies, begann er zu reden:

"An einem Rock, der draußen für fünfzig Mark verkauft wird, verdienst du eine Mark zwanzig. Das macht mich unheimlich wütend. Ich kann das nicht verkraften. Hör' mit dieser Arbeit auf!"

"Das ist besser, als in der Fabrik zu arbeiten. Das ist bequemer, als abends putzen zu gehen. Ich nähe hier zu Hause, weil ich dich gern ein bißchen unterstützen möchte."

"So eine Unterstützung will ich nicht!" schrie Aydin. Er streichelte ihre Wange, ihre Haare und fügte ganz sanft hinzu:

"Nur türkische Frauen kann man für so wenig Geld nähen lassen. Sie bezahlt dich nicht regelmäßig! Bitte hör' doch mit dieser Arbeit auf! Es reicht, wenn du für die Kinder da bist. Ich sage dir, wenn ich einmal diese Frau sehe, die dir die Näharbeiten bringt, werde ich sie rausschmeißen."

Aydin ließ seine Hand vom Bett herunterfallen und tastete nach der Flasche. Er fand sie und füllte sein Glas, das er gerade so im Halbdunkel erkennen konnte. Er hob das Glas.
"Prost, meine Seher!"

Aus der Dunkelheit heraus sah er sie verlangend an. Die Trägheit der Sommerhitze ließ ihn die Augen nicht von Sehers dunklem Körper abwenden. Er dachte daran, daß er am nächsten Tag um fünf Uhr aufstehen und um sechs die Karte stempeln müsse. Er stellte sich vor, wie seine Hände über Seher hin und her strichen. Dann gab er seinem unerträglichen Wunsch nach, umfaßte ihre schlanke Taille und zog sie an sich:

"Und wenn ich morgen nicht zur Arbeit, sondern zum Doktor gehe?" fragte er.

"Du weißt genau, wer sich krankschreiben läßt, den setzen sie ganz schön unter Druck. Du mußt endlich schlafen. Ich werde auch nicht mehr nähen. Laß uns schlafen!" sagte Seher, neigte den Kopf und lehnte sich an seine breite Brust. Als wolle er sie küssen, näherte sich Aydin mit seinen Lippen ihrem Ohr und flüsterte:

"Weißt du, was ich seit vorhin denke? Ankara kann mir gestohlen bleiben! Sieh doch, wie weit es gekommen ist! Halb Ankara besteht aus Militär, Zivilpolizei und Spionen. Ach Seher, achte nicht darauf, wenn ich so etwas sage! Das erste Mal, als ich von zu Hause wegging, zum Militär, habe ich vor allem, vor meinen Eltern und vor meiner Schwester Güler, die Kaffeehäuser in Ankara vermißt. Damals nannten wir das nicht 'Café', sondern 'Konditorei'. Hier nennt man das 'Bistro'. Solche Lokale meine ich. Und in Yenimahalle gab es eine Kneipe, die hieß 'Zaunkönig'.. Alle Wände waren mit Liebesgedichten vollgeschrieben. Eines vergesse ich nie: 'Ich bin ein Schwerstarbeiter, vierundzwanzig Stunden denke ich an Dich ...' Auch die Namen der Cafés waren eine Welt für sich: Yaprak, Yudum, Kösem, Bade, Nil - wie Frauennamen.

Oder wenn ich an Atifbey denke, das Stadtviertel, in dem wir ganz früher wohnten, wo Rechtsanwälte und Haschischverkäufer nebeneinander lebten und das ganze Viertel voll war von Leuten, die aus Ostanatolien kamen. Dann zogen wir ja nach Yenimahalle, in das Angestelltenviertel, wo wir als Jugendliche die Straßen entlang flanierten, um dann zum Kizilayplatz emporzusteigen, dem modernen Stadtteil. Die Umgewöhnung war für mich nicht so einfach ... Aber ich war beliebt. Ich hatte gute Freunde.

Selbst wenn wir Krach hatten - wir liebten uns. Ach, meine Freunde!"

"Oh Aydin, jetzt bist du schon wieder zu den vergangenen Tagen zurückgekehrt. Wenn du einmal anfängst zu erzählen, hörst du bis zum Morgen nicht auf. Denk doch an heute und an morgen, mein Liebling!"

"Neun Jahre sind wir nun zusammen und nicht verheiratet. Wir führen ein Eheleben, haben prächtige Kinder, die uns gleichen. Du hast dich scheiden lassen und bist freigekommen. Ich kann dich nicht heiraten. Diese Last, oder wie man das nennen soll, tragen wir beide gleichermaßen. Wir leiden darunter. Zum Beispiel gehen wir an dem dummen und blöden Gerede der Leute kaputt. Wenn ich es doch wenigstens wie die anderen geschafft hätte, Geld zu sparen, ein Haus zu kaufen und es auf deinen Namen zu überschreiben! Das ist mein größter Wunsch. Bitte, unterbrich mich nicht! Ich will jetzt alles rauslassen. Die Frau, die nach dem türkischen Gesetz als meine Frau gilt, schläft in Ankara mit einem anderen Mann und willigt absolut nicht in die Scheidung ein. Sogar wenn sie wüßte, daß sie sterben müßte, würde sie nicht zustimmen, obwohl wir nur ein Jahr verheiratet waren. Nur ein Jahr habe ich ihr Gesicht gesehen ... Und trotzdem kann ich mich nicht scheiden lassen."

Seher hob den Kopf, den sie an Aydins Brust gelegt hatte, und strich ganz zärtlich mit den Fingern beider Hände über sein welliges Haar:

"Bitte laß doch das Thema! Wenn das neue Scheidungsgesetz herauskommt, hat unser Kummer bald ein Ende. Was macht es dir schon aus? Ich warte, oder kannst du nicht warten? Kannst du denn gar nicht an etwas Schöneres denken?"

"Ich warte auf die Tage, an denen ich an etwas Schöneres denken kann. Die kommen nicht so bald. Wir leben heute, aber daß wir heute leben, merken wir schon gar nicht mehr. Komm! Geh! Komm! Geh!

Wir erfüllen unsere Pflicht wie beim Militär. Neulich hat einer in der Fabrik gesagt: 'Als Zivilist war ich Schneider; hier habe ich Dreher gelernt.' Ich saß neben dem Kaffeeautomaten und habe mich halbtot gelacht. Er empfindet sein Leben in der Türkei als Zivilist und das hier als Soldat. Nicht nur ich denke so negativ. Willst du, daß ich an morgen immer wie an einen Traum denke? Während ich mich hier so schön mit dir unterhalte, taucht vor meinen Augen ständig das mürrische Gesicht des Meisters auf, der keine fünf Mark wert ist. Sie pressen mich in ihre Form. Ich strample mich auch noch ab, von der Arbeit, die mir aufgetragen wird, mehr zu machen und damit aufzufallen. Du wirst sehen, das werde ich nicht mehr tun. Nein, ich werde das einfach nicht mehr machen. Sieh nicht auf die leere Flasche! Immer, wenn ich so etwas denke, trinke ich. Ganz langsam kann ich dabei vergessen und falle in eine Art Dämmerzustand. Versteh' mich doch, bitte! Sei nicht böse, ich weiß, daß dich das bekümmert."

Ohne ihren Kummer und ihren Ärger zu zeigen, flüsterte Seher:

"Wenn du so weitertrinkst, wirst du noch daran sterben. Ich verstehe nicht, wie du soviel trinken und am nächsten Tag noch arbeiten gehen kannst."

Die Tränen sammelten sich zu einem See, den sie wieder zurückfließen ließ.

In tiefer Liebe umschlang sie ihren Mann. Und ihre Körper verwandelten sich in zwei ineinandergeschmiegte Silberlöffel...

Meine Muttersprache

Nach zehn Jahren - erneut an einem Spätnach-
mittag - bin ich wieder in Istanbul. Weil ich die
Stadt schon lange nicht mehr sehen konnte, kenne
ich dieses Istanbul nur aus Büchern und Zeitschriften. Nun liegt alles vor meinen Augen: die unüber-
schaubare Menschenmenge und die Autokolonnen,
die mir wie ein Fluß erscheinen, der langsam in seinem Bett dahinfließt und die Ufer überschwemmt. Es
kommt mir vor, als wäre das eine Stadt in einem
fremden Land.

Eine Stunde benötige ich vom Flughafen bis zum
Taksimplatz. Mir bleiben noch drei Stunden. Wie
verabredet, wird mein Freund mich abholen kommen. Eine Woche darf ich bei ihm zu Gast sein.

Ich begebe mich zum Treffpunkt. Den Taksimplatz
habe ich in schlechter Erinnerung. Seit meinen Ju-
gendjahren ist dieser Platz immer wieder Zeuge
schmerzlicher Ereignisse gewesen. An einem ersten
Mai war er Festplatz für fünfhunderttausend Menschen. An einem anderen ersten Mai starben hier
neunundreißig Menschen im Kugelhagel, Hunderte
wurden verletzt. Diesen betongesichtigen traditions-
reichen Istanbuler, dessen alte Bäume inzwischen
sämtlich abgeholzt worden sind, machten so manche
Ereignisse zum 'Platz des Ersten Mai'.

Während meiner Kindheit floß hier von hohen
Mauern Wasser herab, das von buntem Licht be-
strahlt war. Die täglichen Nachrichten konnten wir
von einer Leuchtschrift ablesen; jede Silbe sprachen

wir einzeln aus. Unser Türnachbar war Taxifahrer. Wenn er abends von der Arbeit nach Hause kam, setzte er seine Kinder, meine Schwester und mich in sein Auto und fuhr uns zum Taksimplatz. Es kümmerte ihn nicht, daß er müde war, und wir wußten damals noch nicht, wie nervenaufreibend es für einen Taxifahrer ist, den ganzen Tag zu arbeiten. Am Taksimplatz angekommen, kurbelten wir die Autoscheiben herunter und stießen Freudenschreie aus, während der lauwarme Wind unsere Gesichter streichelte.

Das Denkmal, das mir nun den Rücken zukehrt, empfand ich damals als riesig groß. Jetzt hingegen erscheint es mir sehr klein. Sollte es an gefallene Helden erinnern? Ich weiß es nicht mehr. Gegenüber war früher ein Park. Nicht einmal habe ich mich in ihm ausgeruht. Wo ist er? Weg!

Statt auf die andere Straßenseite zu wechseln, schaue ich mich gedankenverloren um. An einer der fensterlosen Hochhausfassaden sind in mannshohen Buchstaben Werbesprüche angebracht. Wo ich herkomme, sprüht man auf solche tristen Wände bunte Bilder. Am Taksimplatz meiner Kindheit gab es auch Werbung: Ein Storch trug in seinem Schnabel ein gewickeltes Baby. Wie schön schlug er die Flügel, wenn das Licht an und ausging! Es war die Reklame einer Bank - aber sie war trotzdem schön.

Mit dem Gefühl von Fremdheit gehe ich auf die andere Straßenseite. Hier beginnt eine Allee, deren lange Zypressenreihen aber schon seit etlichen Jahren verschwunden sind. Auf der linken Seite steht das Maxim-Casino, das älteste Amusement am Taksimplatz. Die beleuchteten Namen der Sänger, Sängerinnen und Bauchtänzerinnen reichen von der Straße bis zum Dach und blinken glitzernd wie die Auslage eines Juwelierladens.

Als ich über dem Barbierladen das Schild 'Herrencoiffeur' sehe, erinnere ich mich daran, wie lange ich nicht mehr mit dem Messer rasiert worden bin. Ich habe es vermißt, auch die blütenweißen Umhänge und Handtücher, die Cremes, die Flakons mit Eau de Cologne, die Haartrockner, die wandbreiten Spiegel, die Barbiere und ihre munteren Lehrlinge. Die Barbiere sind mit Sorgfalt frisiert; ihre Gesichter sind spiegelblank rasiert und ihre Arbeitskittel glänzen veilchenviolett.

Als sich die Hände des Barbiers meinem Gesicht nähern, rieche ich den seit Jahren vergessenen Geruch von türkischer Pizza. Um meinen vom Tabak vergilbten dichten grauen Schnäuzer zu richten, schabt das Rasiermesser von der Lippe abwärts zum Kinn. Finger kneifen in meine Lippe. Die Gerüche von Zwiebeln und Knoblauch, die sich keck auf den Barbiersfingern festgesetzt haben, steigen mir penetrant in die Nase. Meine Augen tränen vor Abscheu. Ich schweige. Was könnte ich sagen? Die grobgliedrige Goldkette am rechten und die goldene Uhr am linken Arm des Barbiers erstarren vor meinen Augen wie ein Foto.

In der kühlen Frische draußen komme ich wieder zu mir. Die hinteren Gassen haben sich nicht verändert. Sie sind immer noch so eng und dunkel wie damals. Die Mülltonnen stehen immer noch auf der Straßenmitte. Die Taxifahrer hupen frech wie eh und je. Bei aller Häßlichkeit ist Istanbul sehr schön. Ich kann aber nicht sagen, was schön ist und warum. Einfach schön! Selbst die ältesten, schmalsten und engsten Pflasterstraßen von Istanbul sind schön.

Unser Treffpunkt sieht von außen wie ein unscheinbares altes Haus aus. In seinem letzten Brief schrieb mir mein Freund: "Dort treffen sich die Künstler und Intellektuellen." Von innen sieht es wie ein Restaurant aus, zugleich wie eine Teestube oder eine Konditorei. Ein schönes Plätzchen! Die Tageszeitungen, Wochen- und Monatszeitschriften liegen auf einem kurzbeinigen runden Tisch aus. Die Wände hängen voller Bilder und Fotos, aber im Dämmerlicht kann man sie nur schlecht sehen.

Ich nehme mir ein paar Zeitschriften und setze mich an einen freien Platz. Lesen kann ich nicht, vielleicht weil ich müde bin oder Sehnsucht nach einem Gespräch habe. In diesem Gedränge in meiner Heimat bin ich wieder allein. Ich warte.

An einem Tisch gegenüber läßt ein großer junger Mann mit langem schwarzem Bart seine laute Stimme ertönen. Eine Stimme wie für das Theater! Vielleicht ist er ja Schauspieler. Seine Zunge wird nur langsam vom Trinken schwerfällig. Er versucht, aufzustehen. Lautstark sagt er zu der Frau und dem Mann nebenan: "Ich hab' kein Geld. Zahlt Ihr! Wir sehen uns!" und geht. Diese Großzügigkeit erstaunt mich. So etwas habe ich seit langen Jahren vergessen. Ich freue mich. Wenn auch ich kein Geld hätte, könnte ich dem Kellner einfach sagen: "Ich zahle morgen."

Wie habe ich sie vermißt, die bedeutungsvoll sprechenden Augen unserer Frauen! Ohne Schönheit oder Häßlichkeit zu beachten, sehe ich in diese seidenweichen, braunen und Oliven gleich glänzenden Augen. Ich erhasche diese lang entbehrte besondere Freundlichkeit ihrer Blicke und trinke sie. In dem Land, in dem ich seit siebzehn Jahren Gast bin, hoffe ich oft, ein Paar wunderbare, grünblaue Augen zu finden. Aber es ist schwer, in solchen Augen zu lesen.

Ein junges Paar kommt, bittet um Erlaubnis und setzt sich an meinen Tisch. Der Mann ist blond, die Frau dunkelhaarig. Sie sprechen Französisch. Ich verstehe kein einziges Wort. Neben der Tasse des jungen Mannes liegt ein dickes Buch mit der Rückseite nach oben. Meine Neugierde ist geweckt. In diesem Augenblick deutet er auf eine der Zeitschriften vor mir und fragt:

"Darf ich mal sehen?"

Ich nicke und sage:

"Ich würde gerne ein Blick in Ihr Buch werfen."

Er dreht es um und ich lese den Titel: 'Buchführung - Prinzip und Praxis'. Der Zauber ist verflogen. Das hatte ich nicht erwartet. So ein Buch interessiert mich überhaupt nicht. Wäre es einer der Bestsellerromane des Monats gewesen, wir hätten uns gut unterhalten können. Ich lasse nicht erkennen, daß ich selber Romane schreibe.

Der blonde junge Mann schaut mich aus hellbraunen Augen an und beginnt ein wenig verschüchtert zu erzählen: Er studiere Wirtschaftswissenschaften, möge das Fach zwar überhaupt nicht, aber Import-Export sei in unserer Heimat das beste Geschäft, und deshalb würde er sein Studium absolvieren. Die junge Frau an seiner Seite sei Britin, fährt er fort, sie sei Englischlehrerin an einer Privatschule und müsse nach einem Monat in ihre Heimat zurückkehren. Sie sei deshalb so traurig, weil sie sich nie von Istanbul trennen wolle. Da er kein Englisch verstehe, würden beide sich unbeholfen, aber immerhin auf Französisch verständigen.

Man hätte glauben können, wir seien seit vierzig Jahren befreundet. Meine Ohren waren voll von der Musik eines blumigen Türkisch. Mein Herz jubelte vor tiefer Freundschaft. Ich hörte eine neue Liebesgeschichte. Werde ich das schreiben können?

Die Englischlehrerin verdeckte ihre feuchten Augen mit bebenden Wimpern und beteiligte sich an dem Gespräch:

"Verstehe wenig ich. Sehr schön Türkisch. Sehr schwer Türkisch."

Mein Freund verspätet sich. Eigentlich braucht er mich gar nicht abholen. Es genügt mir, meine Muttersprache wie Wasser fließen zu hören.

Willinger

"Nicht Willi! Willinger! Mein Name ist Willinger! Herr Willinger!"

"Letzten Samstag sagte ich Onkel Willi. Da waren Sie nicht böse."

"Herr Erdal, wenn ich zu Ihnen Erdi sagen würde, meinen Sie, das gefiele Ihnen? Ich mag es nicht, wenn man meinen Namen abkürzt."

"Für mich ist das ganz egal. Ich bin ich. Für mich ist unsere Freundschaft wichtig. Sie sprechen mich mit 'Sie' an. Aber sprechen Sie mich nicht mit meinem Nachnamen an."

"Unsere Freundschaft ist für mich auch sehr wichtig. Ihr Nachname ist sehr komisch. Ich kann ihn nicht aussprechen und kann ihn mir auch nicht merken. Wie war Ihr Name ... Erkantas?"

"Ercantas!"

"Erjantas oder Erkantas, ist komisch. Erdal ist ein schöner Name. Er paßt in unsere Sprache. Ich kann ihn ganz einfach aussprechen."

"Ist gut, ist gut, Herr Willinger. Seien Sie bitte nicht böse. Sie brauchen mich nicht mit meinem Nachnamen anzusprechen. Erdi oder Erdal. Sagen Sie, was für Sie einfacher ist."

"Herr Erdal, erlauben Sie mir, daß ich mich für Ihr Entgegenkommen bedanke. Sie kommen mich jeden Samstag abholen ..."

"Ich komme gern!"

"Bitte unterbrechen Sie mich nicht! Sie besuchen die Universität. Aber unsere Umgangsformen kennen

Sie nicht. Ständig unterbrechen Sie mich."

"Sie sagen oft gar nichts, Herr Willinger. Aber wenn Sie einmal anfangen, oijoijoi, hören Sie nicht mehr auf."

"Ich nehme das nicht als Beleidigung, Herr Erdal. Wir kennen uns erst sechs Monate. Sehen uns samstags für ein paar Stunden. Warten Sie mal, ... sechs Monate, vier mal sechs, vierundzwanzig. Noch nicht dreißig Tage. Insgesamt noch nicht einmal einen Monat. Solch kurze Bekanntschaft ist keine Grundlage für eine Freundschaft. Ist es genug, um sich zu duzen?"

"Genug!"

"Nicht genug! Ich bin neunundsechzig Jahre alt. Ich habe Enkel in Ihrem Alter."

"Und wo sind die? Seit wieviel Jahren haben Sie sie nicht gesehen?"

"Herr Erdal! Sind Sie heute gekommen, um mich zu ärgern und zu beleidigen?"

"Verzeihen Sie bitte. Ich wurde plötzlich böse auf Ihre Enkel. Sie haben sich bestimmt nicht um Sie gekümmert und waren froh, als Sie ins Altersheim kamen."

"Nein, ich bin freiwillig gegangen. Ich bin sehr gern hierher gezogen..."

"Vielleicht ist es besser."

"Sie haben mich wieder unterbrochen. Sie zerstören unser ganzes Gesprächsklima. Wir sprechen viel zusammen, aber sagen uns überhaupt nichts."

"Ich sagte heute sehr freundlich 'Onkel Willi'. Aber Sie lehnten es ab. An der Uni sagen alle 'Du'. 'Sie' zu sagen wäre unmöglich."

"Die heutige Jugend ist so. Das ist das Erbe der 68er. Die wollten alle Höflichkeitsformen abschaffen. Die ganze Sprache verändern. Hören Sie nicht auf die. Bemühen Sie sich immer, korrekt zu sprechen, egal mit wem."

Denken Sie nicht, daß er böse ist. Er wartet jede Woche auf diesen Tag. Wir streiten uns jeden Samstag so. Jedesmal, wenn wir ins Café Lorca gehen, beginnt er vor dem Kaffeetrinken mit dem Streit. Er ist ganz ernst dabei. Heimlich amüsiert er sich darüber.

Vor zwei Monaten haben wir an der Uni mit zwei Mädchen und zwei Jungen eine Gruppe gegründet und zehn Seniorenheime angeschrieben. Wir wollten alten Menschen helfen, die einsam sind, mit ihnen sprechen und spazieren gehen. Wir haben aber auch den Wunsch geäußert, daß wir von ihnen sauberes und gutes Deutsch lernen wollten, weil an der Uni nur Umgangssprache gesprochen wird. Antwort bekamen wir nur von den 'Riehler Heimstätten'. Nur dort hat man unseren Brief ernst genommen. Wir vier sind sofort zum Leiter der Heimstätte gefahren. Nachdem er uns kennengelernt hatte, war er sehr froh. Die Mädchen betreuen zwei alte Frauen und wir zwei Männer. Ich sollte Willinger betreuen. Er war der Jüngste. Ich glaube, in dem Heim ist keiner gesünder als er. Er ist intelligent, kultiviert und sympathisch. Ich weiß bis heute nicht, warum er im Altersheim lebt.

Heute kam ich fünfzehn Minuten zu spät zu Willinger. Er machte ein langes Gesicht und stieg mit einem kühlen 'Guten Morgen' ins Auto. Wir fuhren wie jeden Samstag die gleiche Strecke. Ich wollte einen Umweg machen, weil er schon jahrelang keinen anderen Stadtteil mehr gesehen hat. Ich wollte über den Neumarkt und den sich fast täglich verändernden Rudolfplatz fahren. Aber er hörte mir gar nicht zu. Wir fuhren wieder ans Rheinufer und von dort wie immer direkt nach Nippes.

Wir saßen in der völlig verbeulten orangefarbenen 'Schildkröte' und fuhren auf dem Konrad-Adenauer Ufer. In meiner Heimat werden Autos mit runder Heckform Schildkröten genannt. Hier hat man einen passenderen Namen gefunden. Das Auto hat die Form einer Schildkröte, aber wenn man Gas gibt, startet es wie ein Käfer.

Willinger trug einen hellen, leichten Anzug. Es war

ein warmer, sonniger Vormittag. Sein Rasierwasser roch wie eine Mischung aus Tabak und Leder. Auf der Rheinwiese lagen spärlich bekleidete Menschen. Vor dem Hauptbahnhof bog ich rechts ab. Wir verloren die Eisenbahnbrücke über den Rhein mit ihren dicken Stahlseilgittern aus den Augen und passierten den Breslauer Platz. Ich zeigte ihm das neugebaute Hochhaus auf der linken Seite: ein neues Hotel. Er reagierte nicht. Die Kuppel des Hauptbahnhofes wurde mit neuem Glas versehen. Die Sonne steht in Köln nur drei Monate so hoch, daß ihre Strahlen durch das Glasdach dringen und die Gesichter der Menschen erhellen, die auf den Bahnsteigen auf die Züge warten.

Vom Ebertplatz bog ich rechts in die Neusser Straße. Kurz vor der Agneskirche fragte ich:

"Waren Sie schon einmal hier zur Messe?"

Er antwortete mit einem unbestimmten Lächeln:

"Ich habe meine Frau hier kennengelernt. Sie sang im Kirchenchor."

Nachdem wir die Innere Kanalstraße überquert hatten, erreichten wir Nippes. In der Nähe des Wilhelmplatzes bog ich links ab und suchte für meine 'Schildkröte' einen Parkplatz. Bevor ich Willinger kennengelernt hatte, kannte ich den richtigen Namen dieses Platzes nicht. Wie andere Fremde auch, sagte ich 'Nippeser Markt', wußte nicht, daß es der Wilhelmplatz ist.

Jeden Tag herrscht bis in die Mittagszeit hinein reges Markttreiben. Besonders samstags ist der Markt so voll, daß man kaum ein Bein vor das andere setzen kann. Von außerhalb kamen früher nur Türken auf diesen Markt. Jetzt besuchen auch Deutsche aus anderen Stadtteilen den Nippeser Markt, ja, sogar Leute, die nicht in der Stadt wohnen, kann man hier treffen. Die türkischen Verkäufer rufen: "Frisch! Frisch! Kommt hierher!" Und deutsche Verkäufer schreien: "Taze, Taze! Buraya geeel!"

Auf diesem Markt finden Sie alles. Von der Stecknadel bis zur Lederjacke, vom Mittelmeerfisch bis zu Nordseekrabben, von Kartoffeln bis zu Auberginen, von Äpfeln bis zu Quitten, von Petersilie bis zu Thymian.

Die Gesichter der Marktkunden und ihre Kleidung versetzen Sie in eine andere Welt. Sie können eine verschleierte nordafrikanische Frau mit großen, schwarzen Mandelaugen und dunkelblau geschminkten Augenlidern sehen, und Sie sind tief bewegt. In dieser Hitze begegnen Sie einer Mutter mit langem Mantel und Kopftuch, daneben die Tochter mit hauchdünner, durchsichtiger Bluse und sind überrascht. Sie erleben, wie Frauen mit Ellenbogen um die schönsten und grünsten Bohnen kämpfen. An den Ecken des Marktes stehen fremde Männer mit Bauernmützen, unter denen die grauen Haare hervortreten. Sie versuchen, ihre Enkel im Kinderwagen schaukelnd zu beruhigen.

Die Geschäfte in den Straßen rund um den Markt haben fast alle türkische Inhaber. Der Metzger verkauft Lammkoteletts, aber auch Fladenbrot. Im Lebensmittelgeschäft werden Video- und Musikkassetten angeboten. Das Schmuckgeschäft führt nicht nur Trauringe, sondern auch Flugtickets, während im Restaurant türkische Pizza zu haben ist. Mit der türkischen Fahrschule endlich schließt sich die Kette der türkischen Geschäfte um den Markt.

Wie oft hat Willinger mir gesagt, daß er die schreienden Marktbeschicker und die lärmenden und drängelnden Menschen auf dem Markt hasse. Aber jedesmal, wenn ich ihn morgens bei unseren Treffen fragte: "Wo fahren wir heute hin?", sagte er wie immer: "Wilhelmplatz!"

Ecke Christina- und Viersenerstraße gibt es ein sehr schönes, großes, fünfstöckiges Haus. Das 'Café Lorca', in das wir jeden Samstag gehen, ist im zweiten Stock dieses Hauses. Ich lernte das Café durch Herrn Willinger kennen. Daß es im zweiten Stock dieses Hauses ein Café gibt, können Sie von draußen nicht sehen. Sie finden auf dem Klingelschild an der Haustür nur die kleine Aufschrift 'Café Lorca'. Sie können ohne Scheu dreimal kurz klingeln, und die Tür öffnet sich.

Auf der kühlen serpentinenförmigen Marmortreppe steigen Sie in den zweiten Stock zu einer alten handgeschnitzten Holztür. Sie sehen ein kleines Messingschild, auf dem in eleganter Schrift 'Café Lorca' steht, drehen den glänzenden Türgriff und treten ein. Nach ein paar Schritten gehen Sie zwei Stufen hinunter. Sie befinden sich nun in einem Vorraum, passieren einen schmalen Korridor und erreichen ein großes Wohnzimmer mit Kamin. An den hellen Wänden sehen Sie alte Schwarzweißfotografien, alte Spiegel und Wanduhren, deren Pendel längst stehengeblieben sind. Im ersten Zimmer erblicken Sie ein großes Foto von Rosa Luxemburg, im zweiten Raum das Konterfei von Virginia Woolf. Beide schauen Sie vorwurfsvoll an. Am besten gehen Sie in das Kaminzimmer mit den großen Fenstern: Der Nippeser Markt liegt Ihnen zu Füßen. Kommen Sie das erste Mal hierher und gucken herum, vergessen Sie, Kaffee zu bestellen. Von dem geschnitzten Schrank in der Ecke blickt Sie stolz ein schiefarmiges Grammophon an. In der anderen Ecke steht ein altes Klavier und wartet geduldig und melancholisch auf langgliedrige Finger, die es streicheln. An der Wand hängen Poster, die ein bißchen frech sind; schießpulverblau mit ährengelb, rostrot, und auch das zur Zeit modische Hellviolett und Fliederfarben fließen ineinander. Hundert Jahre alte Kronleuchter mit weinenden Kerzen pendeln still und leise unter der Decke. Nehmen Sie Platz an dem Achtpersonentisch neben der gußrohrbeinigen Lampe! Lassen Sie sich tief in die Polster des Diwans sinken! Kommen Sie am späten Abend zu zweit an den großen Tisch mit dem langen Diwan, müssen Sie hier mit anderen Leuten zusammensitzen. Ob Sie möchten oder nicht, sie klagen einander ihr Leid. Sie lernen die Leute dort schnell kennen und schließen lange Freundschaften.

Seitdem Willinger mir dieses Café gezeigt hat, komme ich mindestens einmal die Woche vorbei. Ich liebe das Café Lorca. Hier gibt es Gäste jeden Alters. Während Sie Menschen sehen, die wie Ihre Oma und Ihr Opa ruhig ihren Tee oder Kaffee umrühren, hören Sie gleichzeitig die lauten, nassen Küsse der Gymnasiasten. Ich komme oft allein hierher und schreibe meine Erinnerungen in mein Tagebuch.

Alle Kellnerinnen sind Studentinnen. Der Inhaber ist in meinem Alter, ein sehr gutaussehender, freundlicher und geduldiger junger Mann. Zwei- bis dreimal in der Woche bedient auch er. Die Kellnerinnen wechseln regelmäßig jeden zweiten Abend - ach ja, die Geschichte mit der Steuer. Die Schönste hatte einen unschönen Schmollmund, aber einen attraktiven Körper und wunderschöne, dezent geschminkte grüne Augen. Ich war heimlich in sie verliebt. An einem Abend trafen sich unsere Blicke, und wir sahen uns lange in die Augen. Das Weinglas rutschte mir aus der Hand und fiel herunter. Mit großen Augen und weitgeöffnetem Mund hatte sie gelacht. Sie schlug ihre flache Hand auf die Stirn und sagte: "Ach, Erdal, vielleicht bin ich ein bißchen schwanger!" Sie hatte bis zum neunten Monat weitergearbeitet. Zur Zeit sehe ich sie nicht mehr. Vielleicht hat sie geheiratet - wer weiß? Für sie ist eine Neue gekommen. Sehr schüchtern. Wenn sie mich anlächelt, wird sie ganz rot. Sie hat kleine, sehr gut zu ihrem Gesicht passende Grübchen. Und nicht zu vergessen: Ihre Stimme ist sehr wohlklingend. Ich hörte, daß sie Schauspielunterricht gehabt haben soll. Ich vergesse immer ihren Namen. Wie hieß sie?

Willinger hatte seine Zeitungen immer noch nicht

durchgelesen. Wenn er einmal zu lesen anfängt, hört er kein Wort mehr. Nur manchmal blickt er zum Markt hinunter, schüttelt verständnislos den Kopf und verschwindet wieder hinter seiner Lektüre. Um mich nicht zu langweilen, mache ich mir Notizen in mein Tagebuch. Dienstags trifft sich unsere Gruppe, und wir lesen uns aus unseren Tagebüchern vor. Wir sind alle verrückte Erzähler. Dauernd erfinden wir Geschichten, sind aber noch nicht in der Lage, eine richtige Erzählung zu schreiben. Die anderen kommen jeden Dienstag mit neuen Geschichten und sind begeistert. Sie haben ihre alten Gesprächspartner stundenlang erzählen lassen. Eine alte Dame hat sogar von ihrer ersten Liebesgeschichte vor fünfzig Jahren berichtet. Ich bin neidisch auf die anderen; von Willinger höre ich nämlich nichts Interessantes, was ich erzählen könnte.

Wenn ich mit Willinger ins Café Lorca komme, bekommen wir, wie ich schon erwähnte, zuerst immer Streit. Das ist seine Entspannung. Danach sitzen wir mit langen Gesichtern vor Zeitung und Tagebuch. Trotz all meiner Mühen und Provokationen gewährt er mir keinen Einblick in seine Vergangenheit. Weder über sein Leben noch über seinen Geburtsort Nippes hat er etwas erzählt. Seine Jugendzeit war während des Zweiten Weltkrieges. Bestimmt hat er am Krieg teilgenommen. Wenn er nicht daran teilgenommen hätte, hätte er bestimmt einmal stolz erwähnt: "Ich war niemals im Krieg!" Alle alten Leute, die ich kennengelernt habe, sagten mir, daß sie nicht am Kriegsgeschehen teilgenommen hätten. Manchmal frage ich meine Studienkollegen, ob ihre Väter im Krieg waren. Meistens sagen sie: "Ich weiß nicht", oder sie erwähnen, er sei im Krankenhaus, Kurier oder in der Küche gewesen. Hätten einige ihrer Väter nicht sagen können: "Wir mußten in den Krieg!"?
Die Studienkollegen wissen alle zu wenig über den Krieg und über die Zeit danach. Manche sagen,

es gibt zu wenig Literatur über die Zeit, um sich informieren zu können. Wollen sie nichts davon wissen? Ich verstehe es nicht. Unser Großvater erzählte, daß es während des Zweiten Weltkrieges bei uns zwei zerstrittene Gruppen gab, die mit großem Interesse die Meldungen im Radio verfolgten. Obwohl unser Land nicht am Krieg teilnahm, erzählten sie, daß die Lebensmittel knapp waren und das Brot nur auf Marken ausgegeben wurde. In Istanbul wurde jede Nacht der Strom abgeschaltet, in den Nachtclubs traten deutsche Jüdinnen und Weißrussinnen als Chansonnieren auf. Das erzählen die Älteren heute noch. Aber ich glaube, die Kölner sind besondere Menschen; die Rheinländer unterscheiden sich nämlich von den anderen Deutschen. Sie lebten früher mit den Franzosen zusammen. Köln war ein großer internationaler Bazar. Deshalb, so denke ich, sind die Menschen im Rheinland freundlicher und toleranter erzogen.

Willinger hatte seinen Kaffee schon lange getrunken, die Zeitung eben durchgelesen und guckte dann zum Wilhelmplatz. Drei Zeitungen lagen ordentlich gefaltet vor ihm. Jetzt konnten wir unser anfangs unterbrochenes Gespräch fortsetzen.

"Herr Willinger, bei jedem unserer Treffen streiten wir uns. Sie amüsieren sich dabei heimlich über mich. Ich habe Ihnen meine ganze Vergangenheit erzählt."

"Herr Erdal, ich kann mir denken, was Sie möchten. Wie sehr Sie mich auch provozieren; aus meinem Mund werden Sie nichts über Krieg, Nazis und Juden hören!"

"Bitte glauben Sie mir. Ich möchte Sie nicht bedrängen. Sie brauchen mir nichts Unangenehmes aus Ihrer Vergangenheit zu erzählen. Ich möchte für das Stadtfest 'Hundert Jahre Nippes in Köln' eine Erzählung schreiben. Ich muß eine beachtenswerte Geschichte über Nippes finden."

"Möchten Sie etwa Schriftsteller werden? Dann

müssen Sie zuerst in die Stadtbibliothek gehen."

"Dort bin ich schon gewesen! Ich bin gut vorbe-reitet. Aber ich möchte unbedingt etwas hören von einem Menschen, der diese Zeit selbst erlebt hat. Wie war es in Nippes vor dem Krieg? Was haben Sie be-ruflich nach dem Krieg gemacht? Wie war der Alltag in Nippes?"

"Nippes war vor und direkt nach dem Krieg sehr grün. Die Leute aus dem Stadtzentrum machten Aus-flüge nach Nippes."

"Sehen Sie, wie schön Sie erzählen können. Ich be-stelle noch Kaffee. Wollen wir uns dazu einen Cognac genehmigen?"

"Aber nur einen, mehr nicht. Ihre Fragen kann ich nicht einzeln und hintereinander beantworten, ich erzähle Ihnen, was mir einfällt. Wenn Sie gut zuhören, können Sie mehr als nur eine Erzählung schreiben. Aber bitte, unterbrechen Sie mich nicht, sonst stehe ich auf und gehe.

Als der Krieg zu Ende war, blieb ich mit meiner Mutter allein in der Mauenheimer Str. 77 wohnen. Meine Schwestern waren ins Ausland gegangen; die eine nach Kanada, die andere nach Chile. Die Män-ner, die zurückkamen, waren zu wenig. Noch heute bin ich dankbar, daß ich in Gefangenschaft war. Sonst wäre ich bestimmt auch nicht zurückgekom-men. Mit Frauen und Kindern versuchten wir, die zerstörten Häuser wieder aufzubauen. Überall wurde jede Arbeitskraft gebraucht. Im Krankenhaus arbeiteten Pflegerinnen und Hebammen auch als Putzfrauen. Niemand arbeitete weniger als zehn oder zwölf Stunden. Das Geld war nichts wert. Le-bensmittel und alles, was wir brauchten, gab es nur auf dem Schwarzmarkt. Jeder tauschte, was er hatte.

Sie werden es nicht glauben, aber ich habe die im Keller versteckten Bücher alle ganz sauber wieder-gefunden. Alle standen wieder ordentlich in meiner Wohnzimmerbibliothek. Ich wollte unbedingt alles

noch einmal lesen. Mein abgebrochenes Philosophiestudium wollte ich bald fortsetzen. Aber ich
handelte so, wie Heinrich Böll es formuliert hat:
'Zuerst Brot!' Ich werde nie vergessen, wie ich mich
mit meiner Mutter wegen ein paar Groschen gestrit-
ten habe. Sie war sehr sparsam geworden. Wer weiß,
vielleicht hatte sie recht. Aber sie hatte mich sehr verletzt. Jetzt liegt sie auf dem Nordfriedhof. Sie warf
mir damals vor:

'Du denkst gar nicht daran, auch Geld zu verdienen.' Aber ich war im Krieg und in der Gefangenschaft nie gezwungen gewesen, für mich zu sorgen,
weil die armen Bauern mir heimlich Brot zugesteckt
hatten. Jeden Tag dachte ich, wie ich ein neues Leben beginnen könnte. Mein Philosophiestudium ging
mir nicht aus dem Kopf. Meine Schlaflosigkeit war
ein weiteres Problem. Ich konnte nicht einschlafen
und las oft bis zum frühen Morgen. Morgens half ich
den Nachbarn, und nachmittags ging ich direkt hier
gegenüber am Markt in die Kneipe und aß dort
Schwarzbrot und trank ein paar Bier. Sie glauben
nicht, wie ich das Bier vermißt hatte! Am späten Nachmittag floh ich vor dem Baulärm an den Rhein und
ging dort spazieren. Ich ging oft gedankenversunken
am Dom vorbei bis Rodenkirchen. Dort fragte ich
mich auf einmal, warum ich dort hingegangen sei.

Heute vermisse ich an den Rheinwiesen die Ruhe
und Stille von damals. Man kann nur noch das
Rheinwasser leise ans Ufer schlagen hören und den
Frühlingsschreien der Möwen lauschen. Und eins
darf ich auf gar keinen Fall vergessen: Dem leisen
Tuckern der Lastkähne, die stromaufwärts und abwärts fuhren, konnte ich stundenlang zuhören. Ich
saß auf einem Stein und dachte, woher sie wohl
kommen und wohin sie wohl fahren mögen. Über
die Schiffer können Sie schreiben, daß sie einen langen Bart trugen, eine Pfeife im zugewachsenen
Mund, darüber eine alkoholrote Nase, und einen
über dem Gürtel hängenden dicken Bauch. Wenn

Sie es schreiben möchten, dann erwähnen Sie auch, daß die Schiffer meist sehr einsam waren. Wenn sie sich aber verliebten, nahmen sie sich die Frauen an Bord. Ich erinnere mich gerade an ein altes Foto: Zwischen zwei Masten auf einem Kahn schaukelt in einer hellblauen Hängematte ein kleines Baby. Die Zeit sollte ein sonniger Spätsommerabend sein. Ist das jetzt nicht sehr romantisch geworden? Ja, erst kam das Brot. Aber wie konnte ich Geld verdienen?

Wieder an einem Nachmittag war ich in der Kneipe an der Ecke Wilhelmstraße/Auguststraße. Alle kleinen Geschäftsleute aßen dort zu Mittag. Als wäre in den letzten Jahren nichts passiert, tranken sie ihr Bier und stopften dicke Würste in sich hinein. Sie lachten und erzählten sich dreckige Witze. Sprachlos stand ich mit dem Bierglas an der Theke. Ja, die Männer öffneten mir die Augen. Viele Geschäftsinhaber mußten ihre Geschäfte verlassen und kamen nicht zurück. Die Türschlösser waren verrostet.

Vor dem Krieg habe ich in den Sommerferien in der Severinstraße in einer kleinen Werkstatt gearbeitet. Mein Meister Samuel war sehr sympathisch und humorvoll. In seinem Handwerk hatte er keine Konkurrenz. Er reparierte Schreib- und Rechenmaschinen und Ladenkassen. Er trank viel, war aber nie betrunken. Von morgens bis abends genehmigte er sich zwischendurch ein kleines Schlückchen. War er sehr beschäftigt mit seiner Arbeit, stand der Cognacschwenker manchmal studenlang unberührt auf dem Tisch. War die Arbeit getan, entleerte er den Inhalt in einem Zug. Er war ein schlauer und wortkarger Mensch.

An dem Nachmittag in der Kneipe träumte ich vom Klappern der Schreibmaschine, hörte das Klingeln der Rechenmaschinen und das Geräusch der sich öffnenden Ladenkasse. Ein paar Tage später strich ich meinen Studienwunsch. Keine Philosophie, keine Literatur, nur noch: Geld! Geld! Geld!

Ich suchte die Besitzer der geschlossenen Geschäfte, fand aber niemanden. Auch die Frauen und Kinder waren nicht mehr da. Wenn ich die Nachbarn fragte, wußten sie nichts und sagten, daß sie vielleicht aus Nippes weggezogen seien. In der Auguststraße fand ich den Inhaber eines kleinen Geschäftes mit zwei Räumen. Sehen Sie gegenüber: Jetzt ist es eine türkische Fahrschule. Sie sind der Erste, dem ich es erzähle. Bevor ich die Räume dort mietete, war es eine Maßschneiderei gewesen. Die Schneidertische waren noch wie neu. Ich habe die Nähmaschinen verkauft und dem Vermieter das Geld gegeben; er war sehr froh darüber. Damals brauchte man noch nicht ein oder zwei Monatsmieten als Kaution zu hinterlegen. Der Besitzer war ein sehr hilfsbereiter Mensch. Die Miete mußte ich erst bezahlen, nachdem ich mein erstes Geld verdient hatte. Mit meiner Mutter machte ich die Räume tip-top sauber. Als sie merkte, daß ich Geschäftsmann werden wollte, blühte sie vor Freude auf. In den ersten Wochen verließ sie nicht einmal das Geschäft. Nur mit großer Mühe konnte ich ihr klarmachen, daß ich allein zurechtkäme. Türen und Fensterrahmen strich ich weiß. Letztere versah ich zusätzlich mit einem dünnen dunkelblauen Strich. Das Ladenschild für meinen Reperaturbetrieb habe ich selbst gemacht. Auf die weiße Fläche schrieb ich ebenfalls in dunkelblau: 'Atelier Willinger'.

Ich hatte einen Namen gefunden. Zwischen den dunkelgrauen und braunen Häusern am Wilhelmplatz glänzte mein frühlingsfarbenes Atelier hoffnungsvoll. Für meinen Betrieb benötigte ich fast kein Startkapital. Ein paar Tische, ein kleiner Schraubstock, Zange, Zwickzange, Rundzange, ein paar Schraubenzieher und Bürsten, Ölkanne und Lötkolben - für mich war es mehr als genug. Das letzte Geld meiner Mutter haben wir für Werbung ausgegeben. Wir druckten kleine Visitenkarten und Handzettel, wieder in Weiß mit dunkelblauer Schrift.

Schnell fand ich zwei junge Lehrlinge. Meine Visi-

tenkarten und Handzettel schickte ich zu Finanz-
ämtern, Versicherungen und anderen wichtigen Stellen. Die Jungen übergaben den Portiers einen Brief-
umschlag mit einem Zehnmarkschein. So gelangten
die Handzettel automatisch an die Amtsleiter. Nach
zwei Wochen war mein Atelier mit jeder Art Schreibmaschinen, Rechenmaschinen und Ladenkassen
voll. Überall klebte ein Zettel darauf mit dem Ver-
merk: 'Eilig!' Aber ich hatte es überhaupt nicht eilig,
hatte ich doch für mich ein gutes Arbeitssystem gefunden. Ich erinnerte mich an Meister Samuel. Zuerst
ordnete ich die Schreibmaschinen auf dem Tisch.
Dann legte ich ein Blatt Papier ein und schrieb Da-
tum und Uhrzeit des Arbeitsauftrages auf, auch den
Auftraggeber, die Personalien oder Name des Amtes,
Adresse und Telefonnummer. Ich habe jede Schreibmaschine mindestens drei Tage warten lassen wie
Meister Samuel. Wie eilig der Auftrag war, war mir
egal. In meinem Atelier wurde ein bestimmtes Arbeitssystem praktiziert: Nach drei Tagen begann ich
endlich, die Schreibmaschinen zu reparieren. Zuerst
tunkte ich eine Bürste in dünnes Öl und begann, die
Maschine von oben bis unten zu putzen. Mit einem
Baumwolltuch entfernte ich danach das überschüs-
sige Öl. Das war nur die Vorbereitung der Reparatur.
Meine Finger legte ich zwischen die feinen Federn,
Stahlrollen und winzigkleinen Schrauben. So erta-
stete ich gelöste Federn, gelockerte erbsenförmige
Schrauben, heruntergefallene Buchstaben, die ich
mit tiefer Stimme 'Hilfe' rufen hörte. Mit viel Gefühl
hängte ich die Federn wieder ein, zog die Schrauben
fest und lötete die Buchstaben an. Mit einem Glas
Cognac gratulierte ich mir. Die Schreibmaschinen
feierten ebenfalls; schrieb ich nämlich die Rechnung,
sangen sie im Rhythmus mit. Auf der Rechnung pro-
bierte ich im oberen Teil alle Buchstaben, Zahlen
und Zeichen aus, und unten schrieb ich:
    'Ihre Schreibmaschine wurde geputzt, repariert
und inspiziert. Sie werden zufrieden sein. Das Ho-

norar beträgt soundsoviel Mark. Hochachtungsvoll ...'

Die Schreibmaschine stellte ich dann auf einen extra Tisch für fertige Arbeiten. Beim Abholen bedankten sich die Leute tausendmal und bezahlten gerne die Reparaturkosten. Täglich machte ich neue Erfahrungen mit unterschiedlichen Schreibmaschinenmarken. Auch wenn ich es Ihnen noch so detailliert beschreiben würde, die Liebe zwischen mir und den Schreibmaschinen können Sie nicht verstehen. Herr Erdal, Sie wollen eine Erzählung schreiben, können aber nicht mit einer Schreibmaschine umgehen. Nein, diese Liebe verstehen Sie nicht! Schreibmaschinen, Rechenmaschinen und Ladenkassen sind lebendig wie Menschen. Besonders Schreibmaschinen. Man muß sehr vorsichtig sein. Da müssen Sie Nerven aus Stahl haben. Wenn Sie nervös sind und die Typenstangen zu hart anfassen, ist es nur durch stundenlange Arbeit möglich, sie wieder geradezubiegen.

Manche Schreibmaschinen kokettieren wie kesse Mädchen. Sie geben sich nicht hin. Andere zeigen sofort sehnsuchtsvoll und ungeduldig den Ort der Reparatur an. Manche sind völlig gefühllos. Dann ist nichts zu machen. Wenn Sie mit dem Hammer draufschlagen, reagieren sie überhaupt nicht. In größter Wut konnte ich mich nur damit retten, daß ich dafür eine gebrauchte Schreibmaschine verschenkte. Man kann solche Maschinen einfach nicht reparieren.

Oft bringt jeder Buchstabe eine Erinnerung. Vielleicht der Anfangsbuchstabe einer ehemaligen Geliebten ...

Jeder Buchstabe hat auch seine Besonderheit. Es gab singende und tanzende Buchstaben. Es gab Häkchen, die überall ihre Nase hineinsteckten, und jeden Tag in Sorge lebende Fragezeichen, die frechen Kommata und die unverschämt befehlenden Ausrufezeichen. Würde ich noch von den faulen und fleißigen Buchstaben erzählen, dauerte es noch lange.

Benutzen Sie die Schreibmaschine nicht einfach

so! Sie ist ein ungelöstes Rätsel. Ich aber war ein Zauberer, war wahnsinnig in sie verliebt.

Seit vielen Jahren habe ich nicht mehr soviel gesprochen. Könnten Sie noch zwei Cognac bestellen? Dazu bitte ein Mineralwasser. Bei jedem Getränk, selbst bei Kaffee, muß Mineralwasser dabei sein. Ich habe dies von einem griechischen Freund gelernt.

Nach einem Jahr war ich stadtbekannt und sehr gefragt. In dieser Häuserreihe bei der Post habe ich noch zwei Geschäfte angemietet. Schauen Sie bitte: In dem einen ist jetzt ein Friseur und in dem anderen ein Apotheker. Das eine diente mir als Büro, das andere nur zur Ausbildung von Lehrlingen. Ich bildete nämlich junge Leute zu Technikern für Schreibmaschinenreparaturen aus.

Lieber Erdal, ich weiß, Sie warten schon ganz ungeduldig darauf, daß ich Ihnen etwas Perönliches über mich erzähle. Warum habe ich solange über meine Liebe zu Schreibmaschinen erzählt und nichts über mein Privatleben? Wenn ich jetzt sage, daß ich müde bin, glauben Sie es mir dann? Kann ich darüber nicht in der nächsten Woche erzählen? Sie lesen ja auch in Zeitschriften: 'Fortsetzung nächste Woche.'

... Ja, ich habe geheiratet. Wir bekamen zwei Töchter. Vor dem Studium zogen sie beide aus. Meine Frau zog hinterher. Auch sie verließ mich zu Recht, wie ich meine.

In der Nähe vom Friesenplatz hatte ich ein Verhältnis mit einer Nachtclub-Sängerin. Sie wurde von mir schwanger. Ich wollte das Kind aber nicht. Sie bekam es trotzdem. Meine Frau ging an diesem Tag zuerst ins Krankenhaus und gratulierte meiner geliebten Sängerin, kam dann nach Hause zurück und verließ kurz darauf die Wohnung. Nicht einmal ein Wort hatte sie bei ihrem Auszug für mich übrig.

Einer meiner Schwiegersöhne ist in Nippes für die Verkehrsberuhigung verantwortlich. Er zeichnet Pläne und läßt jede noch so kleine Straße mit Pflastersteinhügeln versehen - als wolle er sich an mir rächen. Die Autos müssen langsam fahren. Was für ein großer Blödsinn. Die Autofahrer geben nämlich extra Gas, um schnell von Hubbel zu Hubbel zu kommen. Die giftigen Abgase stehen in den engen Straßen. Nein, ich hab' ihn von Anfang an nicht gemocht. Er ist und bleibt dumm!

In der damaligen Zeit konnte man nur mit Verkaufen und Kaufen Geld verdienen. In der ärmlichen Nachkriegszeit mußte alles repariert werden. Im ganzen Land gab es eine große Nachfrage nach Dingen, die es während des Krieges nicht gegeben hatte. Jeder versuchte, soviel wie möglich zu bekommen. Ob klein oder groß, wer es nach dem Krieg in Köln geschafft hat, schnell ein Geschäft zu eröffnen, ist kurzfristig reich geworden.

Wir Geschäftsleute wußten gar nicht, wie wir unser Geld wieder ausgeben sollten. In den engen Straßen, die von den großen Plätzen wegführten, waren Restaurants, Nachtclubs und Saunen Treffpunkt der Neureichen. Wir schlossen dort unsere Aufträge ab und feierten sie am gleichen Abend. Die höheren Beamten waren immer unsere Gäste. Mit ihnen schlossen wir schnell Freundschaft. Unsere Aufträge bekamen wir so ganz nebenbei beim Abendessen.

Der Boulevard in der Nähe des Friesenplatzes erlebte goldene Zeiten: schwarze Limousinen, Auftritte weltberühmter Artisten, Sänger und Schauspieler. Nie werde ich Josephine Baker und ihre aus dem Herzen kommende Stimme vergessen. Jeder Abend war genau so, wie ich es erzähle.

Ich trank jeden Abend. Ach, warum soll ich lügen. Ich habe immer gern getrunken. Meine Kinder wuchsen vaterlos auf. Ich dachte oft, wenn ich meiner Frau teure Geschenke machte und ihr ein kostspieliges Leben ermöglichte, wäre sie glücklich. Im Geschäft drehte ich jeden Groschen um, aber abends war mir jeder Hundertmarkschein egal.

In ein paar Jahren hatten wir Neureichen die Preise des Nachtlebens so in die Höhe getrieben, daß sich kein anderer mehr die Clubs erlauben konnte. Viele sehr schöne Mädchen aus den Kleinstädten kamen nach Köln, um ihr Glück zu versuchen. Einem Mädchen, das für zwanzig Mark die ganze Nacht geblieben wäre, gaben wir hundert. Für manche mieteten wir Zimmer. Sie waren nur für uns da. Sie können sich gar nicht vorstellen, was für ekelhafte Parties wir veranstaltet haben. Aber auch da gab es zwischen uns harte Konkurrenz: Wer mehr verdiente, konnte mehr Geld hinausschütten.

Auch als ich ständiger Kunde in Spielcasinos wurde, konnte mein Betrieb noch ohne mich auskommen. Ich kam nur am späten Nachmittag zum Wilhelmplatz. Meine Ateliers waren so gut organisiert, daß ich mehrere Tage gar nicht zur Arbeit ging. Trotzdem war der Verdienst wie immer. Die Inhaber der kleinen Nachbargeschäfte grüßte ich nicht und sprach nicht mit ihnen. Ach, fast hätte ich es vergessen, das ist ganz wichtig! Viele Jahre später erzählte man mir, daß nicht ich die Nachbarn nicht grüßte, sondern die Nachbarn mich nicht gegrüßt hätten. Ich mußte weinen.

Irgendwann reichte mir dieses Leben nicht mehr. Beim Glückspiel verlor ich viel Geld, und am nächsten Tag gewann ich es wieder. Gegen Abend ging ich in meine Geschäfte und holte den ganzen Umsatz aus der Kasse. Am späten Abend: die gleichen Gesichter, die gleichen Frauen, die gleichen Männer. Mein Leben war furchtbar eintönig und stumpf geworden. Ich war auf einem Weg, wo ich mich fragte: 'Ob du lebst oder nicht - es ist egal!' Ich vergaß das Gestern und hatte kein Morgen. Meine Zukunft zu planen, war für mich völlig unwichtig. Mein größtes

Problem war, daß ich im Gegensatz zu meinen Nachbarn alles ganz bewußt machte. Ich spürte, wie ich immer kühler und charakterloser wurde. Wer in die großen Mühlenräder dieser Nachkriegsgesellschaft geriet, mußte nach und nach den Charakter verlieren:
'Bleib morgens im Bett liegen; steh erst abends auf! Verlasse ohne Scham dein Haus.'
Ob ich jemanden anlog oder ehrlich zu einem anderen war, ich konnte es nicht mehr unterscheiden. Ich weiß nicht, wieviel Jahre ich so gelebt habe.

Den Fortschritt in der Elektrotechnik, der sich spinnennetzgleich über die ganze Welt ausbreitete, bekam ich nicht mit. Ich war bald am Ende. Elektronische Schreibmaschinen und andere Geräte konnten mit weniger Arbeit und geringerem Material kostengünstiger hergestellt werden. Internationale, miteinander konkurrierende Konzerne betrieben aggressive Werbung und eröffneten überall Filialen mit den neuesten elektronischen Geräten. Sie brachten Taschenrechner in Zigarettenschachtelgröße auf den Markt, geräuschlose Kassen, Geräte, die nur leicht 'bib-bib-bib' machten, und Schreibmaschinen mit Korrekturtaste in unterschiedlichen Modellen und modischem Design. Mechanische Schreibmaschinen waren nach kurzer Zeit nicht mehr gefragt. Die höheren Beamten und Geschäftsinhaber, die ich bisher immer eingeladen hatte, vergaßen mich schnell. Mein Umsatz wurde täglich weniger, mein Trinken aber nicht. Lange Zeit war ich krank und arbeitsunfähig. Am Ende hatte ich alles verloren. Ich konnte nicht einmal mehr den Arbeitslohn meiner Angestellten bezahlen. Um meine Schulden begleichen zu könen, mußte ich meine Geschäfte am Wilhelmplatz verkaufen. Zweimal hatte ich einen Nervenzusammenbruch und wurde ins Landeskrankenhaus eingewiesen. Beim zweiten Mal war die Entziehungskur erfolgreich. Sie machten mich zum Frührentner.
Meine Gesundheit habe ich später wiedergefunden;

meine Frau, die Kinder und alles andere habe ich verloren. Die Elektrotechnik hat große Erleichterungen gebracht. Sie hat viele Konzerne vor dem Konkurs gerettet, aber viele Handwerker und kleine Geschäftsinhaber wie mich ruiniert.

Jetzt wissen Sie alles. Was soll ich noch erzählen? Gehen wir! Die Rechnung bitte!"

Wer weiß?

Selim sagte seinen Freunden, die auf dem Bürgersteig standen und ihn liebevoll ansahen, Lebewohl. Dann fuhr er los, voll von einer unbeschreiblichen Bitterkeit, die langsam in ihm hochstieg. Er drückte eine Kassette in den Recorder. Kurze Zeit später füllte unverständliches Wimmern den Innenraum des Wagens.

Er fuhr durch das blasse Licht der Straßenlaternen, durch den dunkelvioletten Widerschein des Stadthimmels und hinein in die Schwärze der Autobahnunterführung. Ein Gewitter drückte auf den sternenlosen Himmel, noch unentschlossen, ob es den Regen freilassen sollte oder nicht. Selim verfluchte die Dunkelheit.

"Nun mach schon," schimpfte er zum Himmel hinauf, "regne endlich oder laß es bleiben!" - Um besser sehen zu können, schaltete er trotz aller Verbote das Fernlicht ein. Dann drehte er die Musik noch lauter.

Die Musik umschlang ihn und trug ihn zurück in die siebziger Jahre. Vor seinem inneren Auge zogen die Bilder von Memo, Cemo und Dilan* vorüber. Geschichten vom Glockenschmied Memo, der Hirtin Cemo und die vom unglücklich verliebten Mirkan, die er damals gelesen hatte, wirbelten in seinem Kopf durcheinander. Die Musik blieb unverändert laut.

Die Dunkelheit der Autobahn und die Lieder aus dem Recorder ließen Selims Gedanken wie im Vo-

Kurdische Romanfiguren

gelflug nach Ankara gleiten. Welchen von den Kurden hatte er zuerst kennengelernt? Ekrem, ja, und danach Ismet Dagasan. Beide waren aus Sarikamis*. Durch welchen Zufall fingen sie ihre Arbeit zur gleichen Zeit wie Selim im selben Betrieb an? Für einen Tageslohn von achtzehn Lira.

Ekrem wollte unbedingt sauber Türkisch sprechen. Aber wenn er böse war, zuckte er mit seinen dichten schwarzen Wimpern und sagte:

"Was dich geht das an?"; dann ging er weg und sprach überhaupt nicht mehr.

Ismet stellte jedesmal, wenn die Pausensirene ertönte, die Drehbank ab und begann sofort, mit einigen Lehrlingen gleichzeitig auf dem Betonboden der Fabrikhalle scherzhaft zu ringen. Dann hockte er sich schweißnaß in eine Ecke und versuchte nachzuahmen, wie die amerikanischen Cowboys in den Filmen ihre Zigaretten rauchten.

Wer weiß, wieviele Kinder die beiden heute in Ankara haben, die perfekt Türkisch sprechen?

Ein Jahr später kam Ihsan aus Malatya in Ostanatolien dazu. Er war nicht wie die anderen. Fast stumm, kam kein einziges Wort über seine Lippen. Und wenn er sprach, dann blieb er hartnäckig bei seinem Malatya-Dialekt. Jedes Wort mußte man aus ihm herausziehen - wie aus einem tiefen Brunnen. Eines Tages jedoch hatte er wohl gute Laune und begann, während er an der Werkbank stand und feilte, leise und getragen ein Lied zu singen:

"Gefängnis! Gefängnis!

Wer hat dich gebaut?

Blind sollen seine Augen sein."

Und wie wunderbar er singen konnte! Zuletzt hatte er in Istanbul gearbeitet. Dort wurde er in den Betriebsrat gewählt.

Wer weiß, zum wievielten Mal er heute im Knast ist?

Der Rhythmus der Musik begleitete Selim. Gleichgültig beschleunigte er den Wagen. Dann, als würde

Kreisstadt nahe der Grenze zur Sowjetunion

er aufwachen, nahm er den Fuß vom Gaspedal. Und wie der unglückliche Mirkan seinem Pferd die Zügel hängen ließ, so ließ jetzt Selim seinen Wagen dahinrollen. Links von der Autobahn lag nun die Toyota-Niederlassung, und rechts ragte das Bayerkreuz in den Himmel. Beides strahlte sternenhell in die tintenschwarze Nacht.

Selim verließ die Autobahn und fuhr mit wohliger Müdigkeit heimwärts. Wie ganz Köln schien auch dieser Teil der Stadt seltsam unbewohnt. Wie spät es wohl war? Dreiundzwanzig Uhr. Die gesamte Heimfahrt über war kein Mensch auf der Straße zu sehen. Selim ließ den Wagen langsam die Auffahrt hinaufrollen, und in seinem Ohr hallten die Gesänge wider, deren Worte er zwar nicht verstand, deren Bedeutung er jedoch spüren konnte.

Leise betrat er die Wohnung. Im schwachen Lichtschein des Fensters betrachtete er lächelnd seine schlafenden Kinder. Das Gesicht seiner Tochter war von hellem Braun, das seines Sohnes dagegen dunkel, bronzefarben.

Auch seine Frau schlief. Oder sie tat nur so.
Wer weiß?

Genau wie gestern abend

Der kleine Angestellte Erol lebte seit zwei Jahren von seiner Frau getrennt, obwohl sie noch nicht offiziell geschieden waren. Die Entscheidung, sich zu trennen, war ebenso unerwartet gekommen wie ihre Hochzeit.

Er arbeitete in einer kleinen Bankfiliale im Westen, sie in einer Filiale der gleichen Bank im Osten. Kennengelernt hatten sie sich bei einer Silvesterfeier, die vom Direktorium organisiert wurde. Während des Festes waren alle Angestellten, ob jung oder alt, bemüht, sämtliche Köstlichkeiten des reichhaltigen Büffets zu probieren. Die Getränke flossen in Strömen.

Gegen Mitternacht waren ihre Augen vor Müdigkeit schwer, und sie erschien ihm als das schönste Wesen auf der ganzen Welt.

Daraufhin trafen sie sich trotz des Berufsverkehrs jeden Tag nach Feierabend. Jedoch glaubten beide nicht an die große Liebe und jeder Gedanke an eine Hochzeit lag ihnen fern.

Erol war jedesmal verrückt nach Aysel, wenn sie mit einem hauteng anliegenden Kleid zum Treffpunkt kam. Bei dem Gedanken, daß er wenig später diesen geschmeidigen Körper berühren würde, vergaß er die ganze Welt um sich herum und wurde so glücklich, daß er vor Freude kein Wort mehr herausbrachte. Wenige Stunden, nachdem er sich von ihr verabschiedet hatte und am ganzen Körper entspannt nach Hause gekommen war, dachte er traurig: 'Ich kann dieses Mädchen einfach nicht heiraten.'

Auch Aysel war hin und hergerissen zwischen bloßer Lust und Verliebtsein. Bevor sie abends zu Bett ging, preßte sie ihre Hand aufs Herz: 'Wie wäre es, wenn er ein Unternehmer, Ingenieur oder ein Arzt wäre?', überlegte sie sich. 'Wenn wir heiraten würden, könnten wir kaum mit dem Monatsgehalt von zwei einfachen Angestellten auskommen!'

In Billig-Restaurants zu essen und zu trinken und anschließend wie Jugendliche Kinos zu besuchen, währte so lange, bis Aysel mit dreiundzwanzig Jahren schwanger wurde. Eingedeckt mit Krediten von der Bank, Darlehen von Freunden und preiswerten Möbeln aus dem Kaufhaus heirateten sie endlich. Bald schon kamen sie mit ihrem Geld nicht mehr aus. Sie hatten deswegen viele schlaflose Nächte, fanden aber keine Lösung. Sie vergaßen die Liebe, und auch im Ehebett kehrten sie einander den Rücken zu und schliefen ein.

Sie bekamen einen Sohn und nannten ihn Birol. Das Baby wuchs bald darauf abwechselnd ein paar Monate bei Erols Eltern und Geschwistern und ein paar weitere Monate bei Aysels Familie auf. Birols Babyaugen wußten schon bald nicht mehr zwischen seinen wechselnden Pflegeeltern, der Schönheit und Häßlichkeit ihrer Gesichter zu unterscheiden. Das ging so, bis er drei Jahre alt wurde.

Sie konnten ihre Raten nicht mehr regelmäßig bezahlen. An jedem Monatsende gerieten beide ins Verstummen, in die Sackgasse der Hoffnungslosigkeit. Allmählich hatten sie auch keine Kraft mehr, einander zu unterstützen. Jeder dachte im Bus, in der Bahn, auf der Straße und am Arbeitsplatz nur noch an eines: 'Wenn ich nicht geheiratet hätte, dann könnte ich heute mit meinem Gehalt gerade so auskommen!'

Es war ein Mittwochabend. Erol schaute sich im

Fernsehen mit großer Begeisterung ein Spiel um den Fußballeuropapokal an. In diesem Moment war er für sich allein. Weder sein Sohn Birol, der auf seinem Schoß eingeschlafen war, noch seine Frau, die gerade für ihn einen Pullover strickte, waren für ihn da. Aysel konnte die Müdigkeit von der Arbeit nur durch Stricken überwinden. Die Geräusche der Schreibmaschinen, die aufdringlichen Blicke der Männer, das Gedränge in überfüllten Bussen auf dem Heimweg strickte sie mit langen bunten Fäden in Pullovern und Westen ein.

Sie richtete den Blick auf ihren Mann, der immer noch unentwegt auf den Fernseher starrte. Wer sollte den Gesprächsfaden wieder aufnehmen? Einer von ihnen mußte ja das erste Wort sagen. Aber wer? 'Ich bin eine stolze Frau. Ich kann es nicht ertragen, verlassen zu werden. Ob heute oder morgen - ich werde den ersten Schritt tun', dachte sie.

Wenig später war die Übertragung des Fußballspiels beendet. Es folgte einer dieser eintönigen Schwarz-Weiß-Krimis. Immer noch hatte Erol seine Frau keines einzigen Blickes gewürdigt. Aysel konnte sich nicht mehr zurückhalten und schrie ihren Mann an:

"Wir haben beide zur gleichen Zeit Feierabend. Ich hole in aller Eile Birol ab. Und du? Wer weiß, mit wem du Biertrinken gehst!? Kannst du nicht wenigstens ein oder zweimal in der Woche Birol abholen? An manchen Tagen kommst du sogar früher nach Hause! Wenn du da bist, frißt du alles auf, was du in der Küche findest! Denkst du dabei mal an mich oder Birol? Nein! Dir ist es ja egal, was wir essen. Nie machst du die Betten. Das Geschirr und die Aschenbecher stehen noch genau wie gestern abend herum. Du kümmerst dich nicht darum! Du könntest zumindest die Fenster aufmachen und die Zimmer vom Rauch, Schweiß und feuchten Mief befreien. Seit drei Jahren machen wir immer dasselbe. Ich arbeite den ganzen Tag, genau wie du! Dazu bediene ich zu Hause auch noch dich! Wenn ich nach der ganzen Arbeit nicht mit dir schlafen will, nennst du mich frostig. Wenn du schon so kaputt bist, was kannst du dann noch von mir erwarten?"

Nachdem Aysels Wortschwall endlich zum Stillstand gekommen war, füllte sich die Zwei-Zimmer-Wohnung mit kaltem Schweigen. Ohne den Sohn zu wecken, stand Erol leise auf. Mit einem Blick auf seine Frau brachte er Birol ins Schlafzimmer. Es dauerte eine Weile, bis er wieder zurückkam. Er setzte sich in den Sessel, gab keinen Ton von sich und zündete sich eine Zigarette an. Er verfolgte den Rauch, der allmählich in die Höhe stieg.

Aysel suchte vergeblich den Blick unter den langen Wimpern ihres Mannes. Sie fand ihn nicht. Traurig und ganz leise sagte sie: "Lassen wir uns scheiden!?" Erol schaute noch immer dem Zigarettenrauch nach, der in der Höhe die Farben wechselte. In der Stille roch man nur noch den brennenden Tabak und einen Hauch der Strickwolle.

Als Aysel gerade sagen wollte: "Verzeih mir, ich bin mit meinen Nerven völlig am Ende", hörte sie Erol leise flüstern:

"Einverstanden."

In tiefen Wassern

Wir saßen unter den Tannen und tranken Wein. Bier gab es auch. Mitternacht lag weit hinter uns. Das Restaurant 'Seeblick' hatte bereits geschlossen. Es schloß immer um elf, wie mir der Kellner sagte. Du warst so betrunken, daß Du bis Mitternacht auf dem Stuhl geschlafen hast. Ich sah Dich unter der Laterne beim Haupteingang. Du bist vor und zurückgetaumelt. Deine Schuhspitzen stießen immer wieder gegen den Boden. Dein Oberkörper war weit nach vorne geneigt. Ich ging zu Dir, aber Du hast mich nicht erkannt. Deine Augen waren halb geschlossen. Ich faßte Dich um die Taille und führte Dich zu den Tannen, wo wir weitertranken. Der Nachtwächter hatte zwei Mädchen gefunden, die von zu Hause abgehauen waren. Auch eine korpulente Dreißigjährige trafen wir. Der Nachtwächter hatte Wein und Bier mitgebracht. Ich reichte Dir den Wein. Aber schon nach dem ersten Schluck hast Du ihn nicht mehr angerührt. Zuerst sagtest Du 'Lau!', dann 'Warm!'. Bier wolltest Du auch nicht haben, sondern nur Zigaretten. 'Komm, wach auf! Hier gibt es schöne Frauen!', sagte ich zu Dir. Die Mollige streichelte Dein Gesicht. Du wolltest sie an Dich ziehen und küssen. Sie ruschte aber nicht näher zu Dir. Für diesen Abend war die Frau mein. Damit Du wach würdest, habe ich Dir gesagt: 'Sie ist mein, aber vielleicht schafft sie es, Dich zu wecken. Greif zu!' Du wurdest ziemlich sauer: 'Ich mag sie nicht. Sie ist nicht mehr jung und außerdem dick.'

Weil Du sie weiter beleidigt hast, wurde die Frau ein wenig böse und traurig. Ob sie geweint hat, konnte ich im Dunkeln nicht sehen. Ich sah nur, wie sie die Brauen runzelte und den Kopf senkte. Sie zog ihre Hände von Dir weg. Um sie wieder aufzurichten, sagte ich Dir vorwurfsvoll: 'Sie ist wenigstens zehn Jahre jünger als du. Und dick bist du auch.' Du hast geantwortet: 'Ich möchte eines von den jungen Mädchen haben. Sie sind schön.' Mühevoll hast Du Dich hochgehievt, Dich neben die Mädchen plumpsen lassen und nach ihren Händen gegriffen. 'Willst du mich nehmen?', sagte die eine. 'Wie kann ich dich nehmen? Ich habe Frau und Kinder. Aber bis morgen, bis ich gehen muß, können wir viel Spaß miteinander haben.' Dann hast Du sie umarmt. Sie hat nichts gesagt. Sie hat sich auch nicht gewehrt. Gerade, als Du sie küssen wolltest, hat sie Dich weggestoßen. Du bist aufgestanden und hin und her gewankt. Die Frau stand ebenfalls auf. Sie war größer als wir beide. Wir gingen Richtung Meer. Ich dachte, daß Dich ein Bad im Meer erfrischen würde. Du hast Dich auf die großen Kieselsteine direkt am Wasser gesetzt. Dein Kopf war auf die Brust gesunken. Du hast mit Dir selbst gesprochen. Schnell zog sich die Frau aus und lief nackt ins Meer. Das Wasser schien tief zu sein. Trotz meiner Bemühungen hast Du Dich beharrlich gesträubt: 'Ich will nicht ins Wasser!' Ich rief die Frau zurück. Sie streichelte Dich und gab Dir einen Kuß. Dann hat sie Dein Hemd aufgeknöpft und Deinen Gürtel geöffnet. Sie zog Dich ganz aus. Sie nahm Dich wie ein kleines Kind bei der Hand und führte Dich zum Meer. Du warst ihr gegenüber fügsam. Es war finster; der Mond zeigte sein Gesicht nicht. Es sah so aus, als käme bald Regen auf, der das Meer aufwühlen könnte. Ich suchte Dich mit den Augen, aber ich sah Dich nicht. Die Frau schwamm in der Nähe vom Strand. Du warst nicht bei ihr. Ich bekam plötzlich große Angst. Ich suchte mit den Augen die Umgebung der Frau ab. Ich wünschte sehr, daß Dein Kopf an der Oberfläche erscheinen würde. Endlich sah ich Dich. Du warst weit draußen. Wie hast Du es geschafft, in so kurzer Zeit so weit rauszuschwimmen? Du mußt ja wie von einem Motor getrieben geschwommen sein. Ich war froh, Dich zu sehen. Mein Rufen erreichte Dich nicht. Auch winkte ich vergeblich. Du hast mich nicht gesehen. In meiner Not rief ich der Frau zu: 'Bitte schwimm raus, hol ihn hierher zurück. Zeig ihm deine Brüste, dann kommt er bestimmt. Sonst ertrinkt er.' Was, wenn Du dort ertrunken wärst? Ängstlich wartete ich am Strand und verfolgte die Frau mit meinen Blicken. Sie näherte sich Dir und umarmte Dich. Ihr habt Euch geküßt und seid dabei untergetaucht. Ihr wart lange unter Wasser. Ich bekam wieder Angst. Ihr tauchtet wieder auf, küßtet Euch und versankt erneut in den Fluten. Dann trennte sie sich mühevoll von Dir. Sie reckte sich weit aus dem Wasser und zeigte Dir ihre Brüste. Während Du versuchtest, sie zu erwischen, kamt ihr langsam dem Strand näher. Ich habe Dich abgetrocknet und Dir beim Anziehen geholfen. Du hast kein Wort gesagt, aber Du warst wach. Du stolpertest auch nicht mehr und wolltest die Schuhe wieder ausziehen. Einen Schnürsenkel hatte ich doppelt verknotet. Trotz Deiner Anstrengung hast Du ihn nicht aufbekommen. Mit einem Ruck hast Du ihn schließlich einfach abgerissen. Du hast geflucht. Die Frau saß nackt am Strand und sagte: 'Ich gehe nicht zurück. Laßt mich alleine!' Wir verließen sie und erreichten kurz darauf den Hoteleingang. Er war verschlossen. Wir hatten den Hinweis an der Tür vergessen. Nein, wir hatten ihn nicht gesehen. Da steht nämlich (hast du es heute gelesen?): 'Von ein Uhr bis sechs Uhr morgens geschlossen.' Wir liefen und liefen; vom Strand bis zum Pier hinaus, von dort bis zum Leuchtturm und dann bis zum nächsten Hotelgarten kreuz und quer. Wer weiß, wieviele Kilometer? Du sagst jetzt, daß Du Dich an nichts mehr erinnerst. Aber in dieser Nacht hast Du ganz schön geredet, fast so, als würdest Du Gedichte aufsagen. Ich bin in dieser Nacht nicht müde geworden."

"Das war der erste Morgen meines Urlaubs. Die Flugreise hatte mich arg mitgenommen. Die Piloten fliegen hier wie Taxifahrer, und die Taxifahrer fahren wie Piloten. Ich erwachte mit Kopfschmerzen. Trotz der übermächtigen Müdigkeit hatte ich schlecht geschlafen. Meine Freundin und ich hatten getrennte Betten, obwohl ich glücklicher gewesen wäre, mit ihr das Bett zu teilen. Gegen Mittag gingen wir ans Meer. Das Wasser war lauwarm und dunkelblau. Wir aßen nicht zu Mittag, sondern nahmen ein ausgiebiges Sonnenbad. Mit dem für den ersten Urlaubstag üblichen Naturhunger sammelten wir eifrig die buntesten Kieselsteine auf.

'Komm, laß uns schlafen gehen!', sagte meine Freundin.

Ich nahm ihre Hand und erwiderte: 'Etwas später.' Sie ging. Eine halbe Stunde oder eine Stunde - ach, ich weiß nicht mehr, wie lange es war - habe ich auf das Auf und Ab der Wellen, auf den Schaum der Brandung, der sich auf den Kieselsteinen niederließ, geschaut. Dann ging ich an die Bar. Ich trank Kaffee und Cognac. Inzwischen hatte ich Hunger bekommen. Ich ging auf unser Zimmer. Meine Freundin lag nackt auf dem Bett. Sie war im tiefsten Schlaf. Sie ist viel jünger als ich. Ihre unverbrannte, schneeweiße, nein, elfenbeinfarbene Haut schimmerte und hatte noch keine Bikinispur. Ihre kleinen Brustwarzen waren von nahezu schwarzem Dunkel. Leise nahm ich mir ein Pfirsich-Wodka-Mineralwasser aus dem Kühlschrank. Als ich auf den Balkon trat, drehte sie sich im Bett um. Ihr Gesicht war nur leicht ins Kissen gedrückt. Ich wandte meinen Blick zum Meer. Unter meinen Füßen breiteten sich ineinander verwachsene Bäume bis zum nächsten Hotel aus. Die vereinzelten kleinen Bäche und der Boden der Tennisplätze waren von sattem Grün umgeben. Es wirkte auf mich wie ein surrealistisches Gemälde.

Ich weiß nicht, wieviel ich getrunken hatte. Heute habe ich auch nicht darauf geachtet. Für mich ist es nicht wichtig, zu wissen, wieviele von den mitgebrachten Flaschen übriggelieben sind.

Ich war also gerade auf dem Balkon und las Gedichte eines - auch für Sie - noch unbekannten Dichters und weinte viel. Ja, ich weinte viel ...

Beim Durchqueren der Haupthalle sah ich zwei junge Mädchen bei der Portiersloge stehen. Sie sahen sich ähnlich wie Schwestern. Ich wollte mir vom Portier eine Zigarette geben lassen. Seit drei Monaten hatte ich das Rauchen aufgegeben. Die Mädchen waren von zu Hause weggelaufen. Sie wußten nicht, wohin. Der Portier blinzelte ihnen zu und sagte:

'Da kann man wohl was machen.'

Die Abendbrotzeit war schon vorüber. Meine Freundin suchte mich nicht. Der Portier fuhr nach Hause. Nach einer Stunde kehrte er mit Wein und Bier zurück. Hinter dem Hotel saßen wir in einem versteckten Winkel unter den Tannen. Die beiden Mädchen waren schüchtern. Das Bier war lauwarm. Ich erfuhr, daß der Lebensweg der beiden bisher ähnlich verlaufen war. Für wen würden sie wohl der Köder sein? Der Portier verhielt sich sehr höflich, pausenlos schenkte er uns nach.

Später stieß der Dichter zu uns. Sein Haar war wolkenfarben. Es schien, als hätte er noch nicht ein einziges Haar verloren. Sein Mund war ständig kurz vor dem Überlaufen. Drei Schneidezähne fehlten ihm. Permanent trug er seine Gedichte vor. Gräßlich! Er tat mir leid. Auf der Höhe seiner Reife schrieb er so unausgegorene Verse. Ich kann zwar nicht sagen, daß ich ihn mochte, aber irgendwie verspürte ich die Lust, ihn zu küssen. Wir küßten uns lange; die anderen saßen geduldig daneben. Einen Moment lang war er fort. Als er wiederkam, brachte er einen schwerfällig tapsenden Kerl mit. Er half ihm, sich neben mich zu setzen. Die Augen des Mannes fielen des öfteren zu. Er sah gut aus. Ich strich ihm über sein langes Haar, zog seinen Kopf an meinen Oberkörper und küßte ihn auf die Wange. Er schnarchte auf meiner Brust. Wenn er mal kurz wach wurde, küßte er mich. Dann gingen er, der Dichter und ich, ans Meer. Die Mädchen schickte ich zuvor auf mein Zimmer. An Details erinnere ich mich nicht. Ich hatte sie nach oben gebracht und sagte zu ihnen, daß sie nicht auf den Balkon gehen sollten und sich niemandem zeigen dürften. Wo sie schliefen, wäre mir egal. Meine Freundin war nicht auf dem Zimmer.

Ich liebe es, nachts zu schwimmen. Wenn ich nackt im Meer treibe, fühle ich mich wie ein Teil von ihm. Ich glaubte, das Meer gehöre nur mir. Außer mir war niemand im Wasser. Das Meer gehörte mir.

Der Dichter lief mir bis ins Wasser hinterher. Mit großer Angst sagte er, der betrunkene Mann sei sehr weit draußen und könne untergehen. Eindringlich bat er mich: 'Bitte hol' ihn zurück.'

Als ich mich dem Betrunkenen näherte, tauchte sein Kopf auf und ab. Er sank nach unten, und nach langer Zeit schnellte mit einem tiefen Atemzug seine Brust aus dem Wasser empor. Dann glitt er langsam ins Meer zurück. Er sah mich und umarmte mich. Gemeinsam tauchten wir in die Tiefe. Er klammerte sich an mich. Sein ganzer Körper wurde steif. Es war sehr schwer, an die Oberfläche zu kommen. Ich habe viel Wasser geschluckt. Wir lösten uns voneinander, und er streichelte zärtlich meine Brüste. Lächelnd schwamm er auf mich zu. Wir kamen an den Strand. Nachdem er sich angezogen hatte, ließen sie mich allein und gingen fort."

———————

"Endlich kann ich die fehlenden Szenen in den Film einfügen. Wir waren in dem Restaurant direkt am Meer, eine halbe Stunde von unserem Hotel entfernt. Der Salat war sehr üppig ausgefallen. Der Kommissar, der uns zum Essen mitgenommen hatte, trug ein weißes Pilotenhemd.

Bevor wir das erste Glas tranken, hielt er eine lange Eröffnungsrede. Wir waren zu viert. Der Kommissar und ich tranken Wodka, die anderen lauwarmes Bier.

Ich erinnere mich nicht, wieviel der Kommissar schon getrunken hatte, als er aufstand und sein Glas erhob. Mit der freien Hand klopfte er sich an die Brust und sang unter Tränen die Nationalhymne seines Landes. Sein hellbraunes Gesicht rötete sich. Er wirkte auf mich stolz und sentimental. Ich konnte nicht verstehen, wie so ein Mensch an diesem Nationalismus festhalten kann. Seinen politischen Äußerungen konnte ich nicht zustimmen, aber ich hatte um seiner selbst willen Mitleid mit ihm. Sein Weinen hatte mich tief beeindruckt.

Als ich das Mittagessen im Hotel mit Frau und Kindern hinter mich gebracht hatte, ging es auf drei Uhr nachmittags zu. Ich stahl mich ungesehen davon und genoß im 'Seeblick' Restaurant meine Einsamkeit. Eine kleine Wiese und ein Weg, der von der Hotelmauer verdeckt wurde, trennten das Restaurant vom Hotel. Das grüne Wasser des Sees lag unbeweglich da. Bis zu den Bergen dehnte der See sich in von grün zu dunkelviolett wechselnden Farben aus. Von einem kleinen Haus unterhalb des Restaurants stieg Rauch auf. Auf dem Dach standen fünfzehn oder zwanzig Angeln aus Bambusrohr. Etliche Spatzen stiebitzten sich Brot von den Tischen, einige junge Katzen taten es ihnen unter den Tischen nach.

Die einzigen drei Worte, die ich in der Landessprache gelernt hatte, gab ich an den Kellner weiter: 'Fisch, Salat, Wodka!' Ich trank, bis mir schwarz vor Augen wurde.

Als ich auf die Straße trat, hätten mich die vorbeifahrenden Wagen jederzeit mitreißen können.

Ich hatte eine regelrechte Abneigung dagegen, ins

Meer zu gehen. Sie haben mich gewaltsam hinein-
manövriert. Ich wußte, ein Bad würde mich auch
nicht wieder nüchtern machen.

In dunklen Wassern sank ich und tauchte auf, sank
und tauchte auf. Ich war zwischen Traum und Wirklichkeit. Ich ließ die tiefen Wasser in meinen Körper.
Ich tauchte wieder auf. Ich ließ mich ohne Regung
in das tiefe Wasser sinken.

Solange meine Kraft es vertrug, blieb ich unter
Wasser. Die tiefen Wasser waren lau wie der Tod -
lau und weiblich. Ich konnte die Ohrenschmerzen
nicht mehr ertragen. Ich hatte immer gedacht, der
beste Selbstmord sei, im Wasser zu versinken und
nie mehr aufzutauchen. Ich hatte mich geirrt. Gerade
war mein Mund an der Oberfläche, da riß er gegen
meinen Willen auf. Ich schluckte Wasser. Mein Kopf
kreiste. Ich konnte nichts mehr sehen. Mein Körper
revoltierte grausam gegen meinen Willen, unten zu
bleiben und nichts mehr zu tun. Vielleicht hatte ich
Angst vor dem dunklen Gesicht des Todes. Wenn
meine Ohren nicht so stark gedröhnt und ge-
schmerzt hätten, vielleicht hätte ich mich dann verschwinden lassen können."

Achtung, Achtung!

I ch saß in einem der beliebten, auf Betonpfählen erbauten Strandrestaurants. Einige dieser Lokale wurden als Hafenkneipen belächelt, andere waren bei Intellektuellen groß in Mode. Auf mich wirkte es weder wie eine Hafenkneipe noch wie eine Intellektuellen-Bar. Die Wände waren aus Holz. Die Fenster, Tische und die Theke, von der man einen guten Ausblick auf das Meer hatte, der Boden, auf dem ich stand, und alles um mich herum war aus Holz, aus Kiefernholz glaube ich. Der Raum roch nach Harz, gegrilltem Fisch, Raki, Meer und Tabak.

Ich war allein in der Bar. Seit einer halben Stunde blickte ich aus dem Fenster auf das Meer und schaute den weißen, sich immer wieder übermütig ins Meer stürzenden Möwen nach. Als ich gerade von meinem zweiten Wodka einen Schluck nahm, traten vier junge Leute, zwei Frauen und zwei Männer, in das Lokal ein. Sie nahmen genau vor dem Fenster Platz, das mir den besten Blick auf das Meer gewährte. Die Neuankömmlinge schienen sehr müde zu sein. Ich wandte meinen Blick von ihnen ab und starrte seitlich aus einem anderen Fenster.

Kurz darauf schaute ich zurück zu den vier jungen Leuten und lauschte ihrem Gespräch. Da sie sich durch meine Anwesenheit offenbar nicht gestört fühlten, bestellte ich mir beim Barmixer noch einen Wodka mit Zitrone. Ich bat ihn, mir grüne, noch unreife Pflaumen zu bringen und mir Salz dazu zu reichen. Die neuen Gäste kamen vom Fußballspiel, wie ich ihrem Plaudern entnehmen konnte: "Drei Tore haben wir ihnen reingedrückt!" Sie gratulierten sich gegenseitig voller Freude. Vom Torwart ihrer Mannschaft schienen sie sehr begeistert: "Einen solchen Torwart finden wir nicht nochmal. Er ist wie eine Katze!"

Ich ließ mir anmerken, daß ich ihnen zuhörte, und lächelte den beiden jungen Frauen zu. Sie schauten mich verstohlen von der Seite an. Die Männer bestellten sich Whiskey und ihren Begleiterinnen Gin-Tonic. Einer der Männer, der, der seine Lederjacke gerade aufknöpfte, unterbrach seinen Sportkommentar und ermahnte in fröhlichem Ton die beiden Frauen: "Laßt das Kichern! Ich will Euch was erzählen. Ihr werdet das Glück erleben, die neueste Anekdote von mir zu hören."

Der andere junge Mann reagierte ein wenig gereizt auf diese Ankündigung und erinnerte an seine Anwesenheit: "Na sowas!" Die beiden Frauen lachten laut. Mit dem Wodkaglas in der Hand blickte ich erschrocken auf. Unbekümmert fuhr der Erste eindruckschindend fort: "Auch wenn Ihr das nicht hören wollt, erzähle ich es Euch. Hört erst einmal brav zu und lacht bloß nicht."

Er schaute zu mir herüber, als ob er sagen wollte "Hör' du nur auch zu!", und lächelte listig. Für gewöhnlich kann ich solchen ungehobelten Späßen nichts abgewinnen, aber dieser junge Mann interessierte mich einfach. Er wirkte auf mich penetrant, aber doch irgendwie sehr liebenswürdig.

"Wie Ihr wißt, hatte unsere Mannschaft letzte Woche in der Hauptstadt ein Fußballspiel. In schwarzweißen Trikots und unter tosenden Zurufen traten sie aufs Spielfeld. Nach zehnminütiger Aufwärmphase loste der Schiedsrichter die Tore aus. Unsere Mannschaft erhielt das Tor auf der Seite hin zum Jugendpark, das ihnen nach ihrer Meinung Glück bringt. Der Himmel war strahlend blau; kein einziges Wölkchen trübte ihn. Der Rasen des Spielfeldes glich einem feingewebten Teppich. Die Tribüne auf dieser Seite war mit schwarz-weißen Fahnen unserer Fans geschmückt. Auf der offenen Tribüne und auf den Plätzen hinter dem gegnerischen Tor lachten trotzig gelb-blaue Fahnen im Wind. Anpfiff. Sofort erhoben die Anhänger beider Mannschaften in je fünftausendköpfigem Chor ihre Stimmen und begannen, sich gegenseitig 'Komplimente' zuzuspielen:

'Nein, nein, das kann nicht sein!', plärrten die Anhänger der Mannschaft aus der Hauptstadt.

Die Unsrigen erwiderten: 'Doch, doch, das kann wohl sein!" Die Hauptstädter begannen mit dem Lied: 'Die Tassen höhlt man so aus, und Euch wird man so ...'. 'Buuh!', kam prompt die Antwort, und unsere Seite fügte hinzu:

'Ankara Ovasi! Güzeller Yuvasi! Ankara Ovasi!, Güzeller Yuvasi!' *
Was die 'Heimat der Schönen' bedeutet, brauche ich euch ja wohl nicht erklären. Fangt nicht jetzt schon an zu gackern, hört einmal zu!

Also, der Chor der Zurufe ging weiter: 'Bimm, bamm, bumms! Rein damit, hinein damit!' Dabei machten sie eindeutige Hand und Armbewegungen. Die kodierten, zweideutigen Lieder erfüllten das Stadionrund, bis plötzlich aus dem Lautsprecher eine kraftvoll männliche Stimme ertönte, so, als ob sie das Spiel unterbrechen wollte:

'Achtung! Achtung! Liebe Fußballfreunde! Ich bitte um Ruhe! Achtung! Achtung! Gerade nimmt die Gattin unseres Staatspräsidenten auf der Ehrentribühne ihren Stammplatz ein. Ich bitte Sie, in Ihren Zurufen Anstand und Sitte zu wahren. Unsere Sicherheitskräfte können bei Verstößen empfindlich reagieren. Sie werden wie immer sehr schnell handeln!'

Na sowas ... Plötzlich waren alle Zuschauer verstummt. Die Sicherheitskräfte, die in jeder Sitzreihe

* Die wörtliche Übersetzung lautet: Die Weiden der Hauptstadt sind die Heimat der Schönen". Mit "Güzeller" sind allerdings im herabwertenden Sinne Homosexuelle ("Schwuchteln") gemeint.

143

von oben nach unten in einer Flucht angeordnet waren, ähnelten dunkelgrünen, unbeschriebenen Plakaten. Auf ungefähr zehn Personen kam ein Sicherheitsbeamter. Die Anzahl der zivilen Sicherheitsleute wird nur der liebe Gott gewußt haben. Das Stadion war mit Soldaten der Sondereinsatzkommandos umzingelt. Alle drei Schritte stand ein Soldat, und jeder zwanzigste von ihnen hielt einen deutschen Schäferhund an der Leine.

Die Stille hing wie Nebelschwaden über dem Stadion. Man vernahm nicht mal das Anzünden eines Streichholzes. Kein Funke eines Feuerzeuges war auszumachen. Die Spieler standen tatenlos auf dem Feld herum, denn sie sind daran gewöhnt, unter lauten und anzüglichen Zurufen ihr Spiel zu machen. Einer der Verteidiger schoß den Ball ins Aus. Und der Schiedsrichter - was machte er? Nach der Lautsprecheransage stand er still wie ein Denkmal, hielt die Pfeife im Mund und die Hände an der Hosennaht. Die Linienrichter taten es ihm nach; sie standen an der Linie wie festgewurzelt. Die Fahne hielten sie stramm in der Hand. Der Spieler, der den Ball geholt hatte, wartete auf die Anweisung für den Einwurf. Er hielt den Ball über seinem Kopf. So vergingen einige Sekunden oder Minuten; ich weiß nicht mehr, wie lange es genau dauerte. Der Kapitän unserer Mannschaft ging zum Schiedsrichter und schüttelte ihn wach. Verwirrt lief der zunächst in die falsche Richtung, dem Ball entgegengesetzt. Die Zuschauer waren immer noch vollkommen still. Endlich rannte der Schiedsrichter in Richtung Ball, führte seine Pfeife zum Mund und pfiff schrill.

Jene honorige, korpulente Dame, die, wie alle wußten, eine begeisterte Anhängerin unserer Mannschaft ist, zupfte an ihrer brillantenbesetzten Goldrandbrille und ärgerte sich, daß ihr niemand Beifall gezollt hatte. Sie biß nervös an einem zierlichen Zigarillo herum. Die Stille machte unsere und die gegnerischen Spieler völlig wirr. Benommen liefen sie sinnlos auf dem Feld umher. Anstatt sich für den Eckstoß zu postieren, standen etliche wie angeklebt an der Mittellinie. Bekam ein Spieler den Ball, schoß er ihn auf das andere Tor zu, egal, wie weit er davon enfernt war. Mitten in diesem Durcheinander konnte unser jugoslawischer Stürmer, der sich von den Ereignissen am wenigsten beeindrucken ließ, den Ball auf seiner Brust unter Kontrolle bringen und schoß ihn aus der Luft ins gegnerische Tor. Trotz der Entfernung von etwa 40 Metern landete der Ball genau in der linken Torecke. Tor! ... Erstaunlich, kein Laut war zu hören. Immer noch waren alle stumm: Die Zuschauer, die Polizisten, die Sicherheitskräfte, die Soldaten und die Schäferhunde, ja, sogar die Vögel am Himmel gaben keinen Laut von sich. Aber eine Sekunde, nachdem das Tor gefallen war, sprang die prominente und beleibte Dame mit erstaunlicher Schnelligkeit auf der Ehrentribüne auf und schrie mit aller Kraft: 'Jetzt ist er drin!'"

... Alle, die den Witz mitangehört hatten, mußten laut lachen. Ich lachte mit ihnen. Heute noch muß ich lachen, wenn ich mich an die Siegesblicke des Erzählers erinnere.

Ich weiß, Sie werden über das, was ich geschrieben habe, nicht lachen können.

Hoffmann Löwenherz

Die Scheibenwischer säuberten die Scheibe nicht genug, und er fuhr schon so schnell, wie es die schlechte Sicht gerade erlaubte. Er ärgerte sich, weil sein Gesicht von der Rasur brannte, und beobachtete mit zusammengekniffenen Augen den dichten Verkehr vor sich. Seine Frau Ayten saß vollkommen bewegungslos neben ihm, die Augen starr auf die Fahrbahn gerichtet. Auf dem Rücksitz unterhielten sich seine Tochter Asli und sein Sohn Kerem in fließendem Deutsch, sein Jüngster, Deniz, sang dazu laut schreiend: "Nikolajus, Nikolajus! Hale luya, hale luya." Auf der Ecke sah man schon Aytens Dienststelle. Murat hielt den Wagen an.

Ayten: "Iyi isler hayatim".*
Asli und Kerem: "Tschüs, baba!"
und Deniz: "Tschüs, Pappi!"
Die vier gingen winkend weg, und Murat fühlte sich so erleichtert, als hätte man ihm eine schwere Last von den Schultern genommen. Blitzschnell zündete er sich eine Zigarette an und ließ den Wagen langsam anrollen. An diesem düsteren, verregneten Morgen waren in Köln noch alle Lichter angeschaltet. Im unbestimmten Halbdunkel der Straße spielten die Ampeln ihr "Halt! Abfahrt! Halt! Abfahrt!" - Spiel, das Murat überhaupt nicht mochte. In zehn Jahren hatte er sich nicht daran gewöhnt. Er schob eine Kassette in den Recorder. Er war ganz vernarrt in gut gespielte Saz-Musik, schön gesungene Volkslieder und Klassik, vor allem in den Gesang von Bülent Ersoy.**

---

* *"Gute Arbeit, mein Lieber!"*   147
** *Türkische Sängerin*

Nach einer halben Stunde stellte er den Wagen lächelnd bei seiner Dienststelle ab. Die Aktentasche in der Hand trat er ein. Mit fast schon typisch deutscher Ernsthaftigkeit grüßte er. Dann leerte er die Taschen seines Trenchcoats auf den Schreibtisch aus und hängte seinen Mantel auf. Er nahm die in Deutschland erscheinende türkische Tageszeitung von der linken Seite des Schreibtisches und schlug sie auf. Welche geschmacklosen Nachrichten gab es an diesem Morgen wieder?

"Prozeß gegen 52 DISK-Mitglieder* dauert an - Staatsanwalt fordert Todesstrafe",

"Hungerstreik in Gefängnissen geht weiter",

"General Evren: Wir haben in unserer Heimat Frieden geschaffen!",

"Für türkische Kinder kein Kindergarten",

"Wohnungsnot - eine große Tragödie" und

"Für Türken keine Wohnungen!"

Nachdem er diese Schlagzeilen gelesen hatte, fühlte Murat sich unbehaglich. Er zündete sich eine Zigarette an und blätterte weiter zum Sportteil. Rechts oben war das großformatige Farbfoto eines berühmten türkischen Fußballspielers zu sehen und daneben eine bombige Schlagzeile:

"Unser Fußball-Botschafter wirkt bei Schalke wahre Wunder!"

Murat lächelte stolz und beugte sich über die Bildunterschrift.

"Deutsche Fußballkollegen sind neidisch auf Ilyas Tüfekci. Deshalb wurde er nicht angespielt. Ausländerfeindlichkeit auch beim Sport!"

Unten auf der Seite gab es noch eine Schlagzeile:

"Türkischer Meisterringer in deutscher Mannschaft von Ausländerbehörde ausgewiesen."

Seiner Wut freien Lauf lassend, blätterte er lautstark um und las weiter. Von dem Geräusch der raschelnden Zeitung beunruhigt, drehte sich sein Kollege Herr Ebert auf seinem Stuhl herum und warf Murat aus seinen blauen Augen einen kühlen Blick

*DISK: Konföderation revolutionärer Arbeitergewerkschaften

zu. Dann beugte er sich wieder über das Kölner Lokalblatt, aus dem er Nachrichten über Türken heraussuchte.

Plötzlich sprang er auf, rief: "Dat jit et janit!"* und brach in lautes Gelächter aus. Wie um sich zu vergewissern, beugte er sich nochmals mit ungläubigem Blick über die Zeitung und rief: "Es stimmt. Es stimmt wirklich. Aber nein, das geht nicht, unmöglich!"

Murat warf ihm einen scharfen Blick zu. "Was gibt es wieder?" fragte er. Ebert antwortete lebhaft: "Hören Sie mal bitte, Herr Murat, was in dieser Anzeige steht: 'Nur für kinderreiche Türken! Müngersdorf, drei Zimmer, Küche, Diele, Bad, Balkon, Kinderspielplatz, 650 DM'."

Jetzt war es an Murat, durcheinander zu sein. Sie können mir glauben, er brachte kein Wort heraus. Zuerst dachte er, Ebert hätte einen Witz gemacht. Aber dann überlegte er sich, daß die deutschen Kollegen nie solche Scherze mit ihm machen würden. Er konnte es weder glauben, noch nicht glauben. Er war wie versteinert. Während er noch nachgrübelte, sagte Ebert wieder lebhaft: "Unmöglich, Herr Murat. Müngersdorf ist eines der ruhigsten Viertel von Köln, wo nur reiche Leute wohnen. Wie kann das sein?" Dann lachte er laut und anhaltend.

Murat erhob sich ruckartig.

"Bitte, rufen Sie sofort an!"

"Wirklich, interessiert Sie das?" - Ebert musterte ihn neugierig.

In leicht gereiztem Tonfall, als sei er der ständigen Wiederholungen überdrüssig, antwortete Murat:

"Wissen Sie nicht, daß ich seit zwei Jahren eine Wohnung suche? Was für Schwierigkeiten ich damit habe, mit drei Kindern in einer Zweizimmerwohnung zu hocken? Habe ich ihnen nicht lang und breit erzählt, daß ich jeden Freitagabend ins Stadtzentrum gefahren bin, um die neueste Zeitung zu kaufen, und dann bis morgens früh alle Wohnungsannoncen einzeln durchgegangen bin? Können sie sich nicht

Kölner Dialekt: "Das gibt es gar nicht!"   149

vorstellen, daß solche Sätze wie: 'Was für ein Landsmann sind Sie?', 'Tut uns leid, die Wohnung ist schon vermietet', 'Wir können nicht an Ausländer vermieten', 'Wir geben Türken keine Wohnung' dongdong, wie Hämmer in meinem Kopf dröhnen? Das können Sie nicht nachfühlen, diese abgrundtiefe Hoffnungslosigkeit, weil Sie glücklicherweise Deutscher sind."

Murat ließ seine traurige, verbitterte Miene fahren, trat auf Ebert zu und bot ihm mit lächelnden Augen eine Zigarette an. Dann sagte er:

"Bitte, rufen Sie für mich an. Ob Müngersdorf oder Paris, ich möchte diese Wohnung auf jeden Fall mieten. Vergessen Sie bitte nicht zu fragen, wieviel Quadratmeter die Wohnung hat, warum es eine kinderreiche Familie sein muß, weshalb es unbedingt Türken sein müssen, ob Heizung und Nebenkosten inbegriffen sind, die genaue Adresse, und wann wir uns vorstellen können."

Er setzte sich wieder an seinen Schreibtisch, nahm seine Zeitung und warf sie nach links ins Regal, stand wieder auf, trat nah an Ebert heran und sagte leise: "Bitte sprechen Sie nett und freundlich."

Eine Hand in der Hosentasche, lief er unruhig auf und ab. Ebert zog unterdessen mit verantwortungsbewußter Miene einen Notizzettel heran und wählte die Nummer:

"Guten Morgen. Hier ist die Beratungsstelle für Türken bei der Stadt Köln. Wir haben einen sehr netten und gut integrierten Mitarbeiter, verheiratet, drei Kinder und Türke. Was? Warum sind drei Kinder zu wenig? Sechs ... sechs Kinder? Sie scherzen! Sind sechs Kinder nicht etwas zuviel für eine Dreizimmerwohnung? Jaja, Sie sind der Hausbesitzer ... Natürlich können Sie die Wohnung geben, wem Sie wollen; aber wir wären sehr froh, wenn Sie die Wohnung unserem Kollegen geben würden. Welche Nebenkosten gibt es außer der Heizung noch? ... Gibt es noch andere türkische Mieter? Können wir heute noch einen Termin haben? ... Ja, gut, dreizehn Uhr. Einverstanden, Herr Hoffmann. Sehr freundlich, haben Sie vielen Dank. Ach, Herr Hoffmann, einen Moment noch. Darf ich Ihnen eine Frage stellen? Warum wollen Sie unbedingt Türken? ..."

Während Ebert noch telefonierte, lief Murat weiter mit einer Hand in der Tasche auf und ab, wartete gespannt auf das Ergebnis und dachte nach:

"Na sowas! Gibt es solche Menschen auf der Welt? Wenn man sie sucht, findet man keine. Ob er verrückt ist? Was hat er bloß mit den Türken, Türken, Türken? Die Deutschen meiden uns doch sonst wie eine ansteckende Krankheit, warum will der uns jetzt mit offenen Armen aufnehmen? Ist da vielleicht was faul? Ach, was soll das, wenn der Mann unbedingt Türken will, muß man ihn doch nicht gleich mit Dreck bewerfen. Was willst du noch? Der Blinde wollte ein Auge, Gott hat ihm zwei gegeben. Du findest eine Wohnung und dazu noch einen Vermieter, der nichts gegen Türken hat. Seinen Namen weiß ich schon: Hoffmann Löwenherz! Was ist das für ein Mensch? Wie sieht er aus, wie alt ist er? Ach egal, heute Mittag werde ich ihn ja sehen, den Hoffmann Löwenherz."

Gerade hatte Ebert das Gespräch mit freundlichen Worten beendet, da war er schon mit großen Schritten bei Murat, verblüfft und erfreut zugleich:

"Der Hausbesitzer war am Telefon sehr freundlich. Er ist ein außergewöhnlicher Mann ..."

Murat unterbrach ihn ungeduldig:

"Was hat er gesagt, was hat er gesagt?"

"Herr Hoffmann ist sehr menschlich. Er liebt Kinder ganz besonders. Er liebt auch Türken und möchte sie besser kennenlernen. Wasser, Müll und sonstige Nebenkosten will er selber bezahlen. Die Wohnung ist achtzig Quadratmeter groß. Es gibt dort einen Garten und einen Kinderspielplatz. Außerdem ist die Wohnung ganz ruhig gelegen."

Während Murat Ebert zuhörte, nahm er einen

Stadtplan vom Regal. Beide fingen an, die Goldbergstraße zu suchen. Sie fuhren mit dem Zeigefinger von der Stadtmitte aus die nach Westen führende Hauptstraße entlang, die die Stadt in zwei Hälften zerschneidet. Murat verlangsamte das Tempo, als würde er mit dem Wagen fahren. Kurz hinter dem Stadion schrie Ebert auf: "Hier ist es!" und drückte seinen Finger auf die gesuchte Goldbergstraße. Rundherum war alles grün. Die ruhige Lage und die gehobene Klasse des Wohnviertels waren schon am Stadtplan zu erkennen. Sie sahen einander an: "Weit, sehr weit. Aber sehr schön."

Sie wollten gerade zu der großen Wandkarte gehen, die im hinteren Teil des Büros angebracht war und die Bahn- und Straßenverbindungen prüfen, als von oben Frau Hesse herunterkam. Mit strahlendem Gesicht und stolz vorgereckter Brust, aber auch ein bißchen spöttisch, sagte Murat: "Sehen Sie? Ich habe endlich eine Wohnung gefunden." Er wandte sich zu Ebert, faßte ihn am Arm und bat: "Erzählen sie doch bitte, was heute passiert ist."

Die schlagfertige Frau Hesse ließ Ebert jedoch nicht zu Wort kommen: "Wenn Sie erst in dieser Wohnung wohnen, können Sie immer noch stolz sein, Herr Murat", sprach's und setzte sich süß lächelnd auf einen Drehstuhl, wobei sie ein Bein unterschlug und das andere herunterbaumeln ließ. "Ich warte, erzählen Sie bitte."

Ungeduldig fing Ebert an, die unglaubliche Geschichte zu erzählen, wobei er die Stimme des Hausbesitzers nachzuahmen versuchte. Währenddessen beobachtete Murat Frau Hesse und dachte bei sich: "Sehen Sie, es gibt Menschen, die uns wirklich lieben, nicht nur solche Schauspieler." Plötzlich schoß ihm durch den Kopf: "Sie war jetzt gerade vier Wochen auf Urlaub in Tunesien, und alles, was sie gelernt hat, ist, ohne Schuhe in eine moslemische Wohnung einzutreten und, wie jetzt, mit einem untergeschlagenen Bein auf dem Stuhl zu sitzen."

Dann lachte er innerlich. Frau Hesse hörte Ebert mit mäßigem Interesse zu, um dann ohne das geringste Erstaunen zu bemerken: "Und dann?"
Dann hob sie ihre Stimme um einen Ton und fuhr fort:

"Ja, das ist doch möglich. Warum auch nicht? Warum soll er seine Wohnung nicht an Türken vergeben? Gibt es etwa keinen Menschen, der Türken mag? Sind Türken keine Menschen?"

Ruckartig drehte sie sich Murat zu. Mit blitzenden Augen fing sie leise und maschinengewehrschnell zu sprechen an:

"Schauen Sie mich nicht so an. Sie wissen doch, daß ich keine Kölnerin bin. Ich bin nicht hier aufgewachsen, sondern in Süddeutschland. Bei uns daheim werden Ausländer besser behandelt als hier."
Wenn sie böse war, sprach Frau Hesse immer mit einem Lächeln, was aber nicht verhinderte, daß sich ihre Nase und ihr übriges Gesicht rot färbten und ihre Augen kleine Blitze schossen. Um sie zu bremsen, unterbrach Murat sie:

"Ich weiß, ich weiß. In Ihrem Heimatort sind nicht nur die türkischen Arbeiter, sondern auch die türkischen Asylanten glücklich, immerhin sind die schweizerische und die französische Grenze ganz nah."

Hinter der Brille wurden Frau Hesses Augen ganz dunkelblau und groß, und mit einem Blick, der soviel wie "Geduld, Geduld", bedeutete, hörte sie auf, sich mit Murat zu streiten und wandte sich wieder Ebert zu.

Murat war erstaunt, daß Frau Hesse nicht das kleinste bißchen überrascht war, im Gegenteil, sie schien diesen Fall für ganz normal zu halten. Das ärgerte Murat und machte ihn wütend. An diesem Verhalten zeigte sich ihm das deutsche Überlegenheitsgefühl ganz deutlich. Er fühlte sich unwohl; er schaute mal hierhin, mal dorthin, steckte die Hände in die Hosentaschen, holte sie wieder heraus, veraus, verschränkte die Arme auf dem Rücken, steckte die Hände erneut in die Taschen, spielte mit dem Kleingeld darin und kam sich mit einem Mal ausgeschlossen vor. Egal was er tat, die Einsamkeit blieb.

Plötzlich verließ er wortlos den Raum. Eilig durchquerte er den schmalen Korridor und lief die Treppe hinauf, wobei er jeweils zwei Stufen auf einmal nahm. Im oberen Stockwerk arbeiteten noch weitere Kollegen.

Er trat ein und rief, noch ganz außer Atem: "Ich habe eine Wohnung gefunden!" Dann erzählte er noch einmal. Er wollte die Geschichte wieder genauso fröhlich erzählen, aber irgendwie wollte es ihm nicht wie vorher gelingen. Jene Kollegen, die er als Egoisten und Schlitzohren kannte, sagten, genau wie Frau Hesse:

"Warum nicht?",

"Was für ein gutmütiger Mensch!" und

"Das ist ein ehrenwerter Mann."

Und seine Freunde in der Dienststelle, die ehrlichen, korrekten und aufrichtigen, reagierten mit den Worten:

"Das geht doch nicht!",

"Ist der verrückt?" und

"Das ist bestimmt so ein Idiot!"

Murat machte sich wieder auf den Weg ins Erdgeschoß, bedrückt und nachdenklich; alle Hoffnung, alle Fröhlichkeit, die er noch vor kurzer Zeit gefühlt hatte, sein ganzer Lebensmut, all das war davongeflogen wie ein aufgescheuchter Vogelschwarm.

"Die einen sagen dies, die anderen genau das Gegenteil. Und ich? Was soll ich davon halten? Wo ist der Mittelweg? Ist es wahr oder nicht? Wird es klappen oder nicht? Die Sache hat bestimmt einen Haken. Aber wenn es jetzt doch klappt! Vielleicht kann ich die Wohnung wirklich mieten!"

So wälzte er Frage um Frage im Kopf herum und versuchte, alle Möglichkeiten zu berücksichtigen. Währenddessen erinnerte er sich schmerzhaft daran, welche Schwierigkeiten er in der Vergangenheit mit der Wohnungssuche gehabt hatte:

"Genau zwei Jahre geht dieses Spiel schon. Suchst du eine Wohnung? Dann mußt du in die Zeitung schauen. - Wo gibt es Zeitungen? - Überall. Kölner StadtAnzeiger. Freitagabend, jeden Freitagabend, einundzwanzig Uhr, die Samstagsausgabe kaufen, bis morgens jede Wohnungsannonce einzeln durchgehen, nicht mehr schlafen können. Lies doch auch noch den Rest der Zeitung! Steh' auf, steh' schon auf! Es ist Morgen. Schnee ist gefallen. Es ist Samstag. Die Wohnungen schon alle vermietet? Ruf an, hör dir die Antworten an wie von einem Tonband: Tut uns leid, schon vermietet, wir möchten keine Kinder, können nicht an Ausländer vermieten. Weitermachen, Abende, Nächte, Morgen mit deiner Frau und drei Kindern in deiner Zweizimmerwohnung. Jede, aber auch jede Nacht 'Bäumchen wechsle dich' spielen, weiter auf morgen hoffen."

Und Murat dachte weiter: "Ich werde sie mieten, egal was passiert, ich miete diese Wohnung. Wer vor dir Angst hat, soll noch schlechter sein als du, Hoffmann Löwenherz!"

Plötzlich nannte er Hoffmann in Gedanken "meinen Hausbesitzer". Er sah auf die Uhr. Es war bald zwölf. Ebert und Frau Hesse unterhielten sich gutgelaunt miteinander. Murat kam dazu und unterbrach sie in liebenswürdigem Tonfall:

"Herr Ebert, wäre es möglich, daß wir gemeinsam zu dem Vorstellungsgespräch mit dem Hausbesitzer gehen?"

Ebert antwortete erfreut: "Ja, ich würde das gern tun." Murat zwinkerte:"Wir können ja etwas früher in die Mittagspause gehen."

Er zog seinen Trenchcoat an und freute sich insgeheim, daß er sich am Morgen frisch rasiert hatte. Als sie das Büro verließen, kam Frau Hesse und verabschiedete sie mit einem "Viel Glück und toi, toi, toi!"

Sie stiegen in den sauerkirschfarbenen, viertürigen Ford Granada. Murat warf einen Blick auf den Kilometerzähler, dann sah er auf die Uhr. Er wollte ausrechnen, wieviele Kilometer es von der Dienststelle bis zu seiner neuen Wohnung waren, wie lange die Fahrt dauerte und wieviel Geld für Benzin er ab jetzt jeden Monat mehr ausgeben mußte.

Sie fuhren auf die Hauptstraße, die in Köln beginnt und über Düren bis an die Aachener Stadtgrenze führt. Je schneller sie fahren konnten, desto weniger Stockwerke hatten die Häuser links und rechts der Straße. Nach einigen "Hier links" und "Nein, erst die nächste links" bogen sie endlich in die Goldbergstraße ein. Sie spähten nach den Hausnummern und entdeckten beide gleichzeitig das Haus mit der Nummer zwanzig.

Es war quer in einen Garten gebaut, hatte drei Stockwerke und war ziegelrot angestrichen. Links und rechts davon standen weiß gekalkte Gartenmauern. Hinter den Nachbarhäusern lagen zumeist perfekt gepflegte Gärten; diese Häuser hatten fast alle nur zwei Stockwerke. Etwa hundert Meter weiter waren grüne Wiesen glatt ausgebreitet. Die weite Grünfläche wurde durch den Schnellverkehr der Autobahn wie mit einem Messer abgeschnitten. Die Art, wie die Wagen auf der Autobahn aus dem Blickwinkel verschwanden, ließ Murat an Küchenschaben denken, wie er sie in seiner Kindheit gesehen hatte, wenn sie beim Einschalten des Lichts über den Boden der feuchten Küche huschten. Murat hatte bis zu diesem Tag noch nie mit solchem Interesse dieses Dahinfließen von Verkehr beobachtet. Das Brummen von der Autobahn kam nur leise an sein Ohr wie ein entferntes Gewitter. Murat sagte kein Wort und ließ sich von der lang vermißten Ruhe ganz und gar durchdringen. Er blickte gleichmütig geradeaus. Wenn er auch scheinbar uninteressiert seine Umgebung betrachtete, so registrierte er doch jede Einzelheit um sich herum. Das Schloß der Haustür, die von

Wohnung zu Wohnung wechselnde Farbe der Brief-
kästen, die verschiedenen Automarken am Bordstein
und die schimmelig-grünen Nadelbäume auf der
sattgrünen Wiese prägten sich seinem Gedächtnis
ein. Er dachte: "Das ist nicht 'Nur für Türken', sondern 'Nur für Reiche'. Wenn ich hier einziehe, muß
ich mir um die Rechnung Sorgen machen."

Er erinnerte sich an seinen vier Jahre zurücklie-
genden Aufenthalt im Krankenhaus. Er hatte ein
wunderschönes Mädchen beim Putzen beobachtet,
und sie hatte ihm wirklich leid getan. Er hatte sich
gefragt, warum ein so schönes und junges Mädchen
wohl in einem Krankenhaus die Toiletten putzen
mußte. In der Türkei hätte sie eine Filmschauspiele-
rin sein können. Zu der Zeit war ihm eine solche
Arbeit für so ein Mädchen sehr unpassend erschienen.

Während er so die Gärten und die Häuser der Umgebung betrachtete und Vergangenheit und Gegen-
wart, Häßlichkeit und Schönheit verglich, vergaß er
ganz, daß Ebert noch immer neben ihm saß. Der
hing auch seinen Gedanken nach, seine hellblauen
Augen sahen stur geradeaus. Murat dachte verärgert:
"Wenn ich nicht spräche und ihm keine Fragen stellte,
würde er in zehn Jahren noch keinen Ton sagen!" Er
sah auf seine Armbanduhr, genau dreizehn Uhr. Er
hielt Ebert die Uhr hin. Beide nickten. Murat fuhr den
Wagen in den Hof genau vor dem Haus und schimpfte innerlich mit einem Seitenblick: "Soll ich mir auch
noch Gedanken machen, was mit ihm los ist? Er
spricht nicht, er lacht nicht, er ist überhaupt nicht aufgeregt. Aber ich weiß schon, was er jetzt denkt: Entweder denkt er an meinen Hausbesitzer Hoffmann
oder an Klara, die neunzehnjährige Tochter dieses
Geschichtsprofessors. Hoffmann ist zur Zeit viel wich-
tiger als Klara. Ebert war so überrascht, daß Hoffmann
ohne ersichtlichen Grund unbedingt Türken haben
will. Er ist auf das Ergebnis bestimmt so gespannt
wie bei den letzten Minuten eines Fußballspiels oder
beim letzten Akt eines Theaterstücks. Bestimmt ist er

halbtot vor Neugier auf das Ende der Geschichte."

Er parkte seinen viertürigen Granada gut sichtbar vor der Vorderfront des Hauses. Dann plötzlich begann er, sich dafür zu schämen. Er erinnerte sich an seinen Türkeiurlaub, als er auf eine Einladung hin nach Kaya gekommen war und ihn der Dorfvorsteher bei seiner Ankunft am Abend mit den Worten empfing: "Sie hätten früher kommen sollen, so daß alle Bauern hier es noch hätten sehen können."

Sie stiegen die vier Stufen zum Eingang hoch, und Murat drückte die Klingel; dabei las er zwei Hausnamen auf dem Schild. Er drehte sich zu Ebert und sagte spöttisch: "Hier ist auch nicht alles in Ordnung, Herr Hoffmann ist nicht verheiratet."

Die Haustür öffnete sich. Herr Hoffmann, dessen Gesicht mit dem schiefen Lächeln häßlich wirkte, stand in der offenen Wohnungstür und nickte ihnen zu. Er wies mit einer Handbewegung den Weg und ging voraus.

Er war ungefähr fünfzig Jahre alt, mittelgroß, hatte leicht gewelltes blondes Haar mit einigen ergrauten Stellen; sein linkes Bein zog er beim Gehen etwas nach, und sein Gesicht war trotz des Lächelns mürrisch.

Durch den dunkelbraunen Korridor erreichten sie das Wohnzimmer. In einem Winkel saß eine farblos wirkende Frau in einem Sessel, ein etwa dreijähriges, strohblondes Mädchen neben sich. Im Raum standen massige, dunkelbraune Stühle um einen Tisch gleichen Stils. Die Küchentür am Wohnzimmer und die Durchreiche in der Wand machten einen sehr praktischen Eindruck. Hoffmann zog zwei ordentlich um den Eßtisch gruppierte Stühle hervor und bot Murat und Ebert an, Platz zu nehmen. Bisher hatte er zu den beiden kein Wort gesagt, aber jetzt schloß er - wie ein anatolischer Politiker auf Wahlkampfreise - die Augen und sprach: "Ich habe den Hitlerfaschismus gesehen, jetzt sehe ich die Sozialdemokraten. Die gefallen mir auch nicht. Ich bin gegen jede Art von Fortschrittsfeindlichkeit und Konservatismus. Ob schwarz- oder rothäutig, Chinesen, Zigeuner oder Türken, für mich sind alle Völker gleich! Wer bin ich? Deutscher - nein, nein, kein Deutscher, sondern Europäer! Ich liebe die Menschen sehr, Kinder noch mehr. Ich bin sechzig Jahre alt; wir gehen auf den Tod zu. Auf diesem Weg bin ich nicht allein. Diese ganze deutsche Gesellschaft, vom Leben abgeschnitten und im Arbeit-Trinken-Fernsehen-Dreieck gefangen, ist in meinen Augen schon lange tot. Wenigstens die Kinder sollen spielen wie Geschwister, sollen lachen und fröhlich ihre Tage verbringen. Sie müssen nichts von der Feindschaft wissen ..."

Da klingelte das Telefon. Die junge Frau, die die ganze Zeit hinten gesessen hatte, rief mit dem Hörer in der Hand nach Hoffmann.

"Hier Hoffmann, bitte schön. Nein, die Wohnung ist noch nicht vermietet, ich habe mich noch nicht entschieden. Wieviele Kinder haben Sie? Nur eins? Wie alt denn? Sechzehn? Das ist doch kein Kind mehr, das ist ein junger Bursche, ein junger Mann. Nein, Ihr Sohn ist kein Kind mehr. Tut mir sehr leid, aber das geht nicht. Ich möchte kinderreiche Nachbarn. Ich brauche als Nachbarn temperamentvolle und fröhliche Menschen. Ich kann Ihnen die Wohnung nicht geben. Ich werde meine Wohnung an eine türkische Familie mit sechs oder sieben Kindern vermieten."

Er gab der anderen Seite keine Möglichkeit, zu antworten und knallte den Hörer auf die Gabel. Hoffmann war von Natur aus so. Er ließ seinem Gegenüber keine Chance, sondern brach das Gespräch ab, wenn er fertig war. Murat und Ebert sahen sich überrascht an und lachten sich zu, als Hoffmann, das Gesicht wieder von seinem schiefen Lächeln zerknautscht, wie ein General nach gewonnener Schlacht zurückkam und sich langsam auf einen Stuhl setzte.

"So ist das, Herr ... Herr ... wie war nochmal Ihr Name? Murat! Ja, Herr Murat, vom frühen Morgen bis jetzt haben dreißig bis vierzig Leute hier angerufen. Ich habe keine kinderreichen Türken gefunden. Wenn man welche sucht, findet man keine. Natürlich ist die Miete für die meisten zu teuer. Sicher, es ist schwer, den Lebensunterhalt für viele Kinder zu bestreiten. Wieviele Kinder, sagten Sie, haben Sie? Drei? Wie schade! Ich finde Sie sympathisch, sehr passend. Leider sind drei Kinder zu wenig für mich. Ich brauche eine türkische Familie mit mindestens fünf oder sechs Kindern. Kennen Sie vielleicht so eine Familie?"

Murat unterbrach ihn wie ein vorlauter Schüler: "Aber wir sind doch ein noch sehr junges Ehepaar, Herr Hoffmann!"

Sie lachten gekünstelt. Murat stand auf, bot mit eleganter Geste Zigaretten an und gab den beiden Feuer. Dann faßte er sich ein Herz und stellte die schon lange bohrende Frage: "Warum möchten Sie nur Türken haben?"

"Ich habe nichts gegen Türken, ich hab's gelesen und weiß auch so, daß kinderreiche türkische Familien sehr große Schwierigkeiten bei der Wohnungssuche haben. Wie gesagt, ich liebe Kinder. Und viele Kinder gibt es nur in türkischen Familien."

Murat ließ Hoffmann nicht in Ruhe und unterbrach ihn: " Haben Sie etwas über Türken gelesen? Lesen Sie auch jetzt noch über dieses Thema?"

"Lesen ist zur Zeit für mich uninteressant. Vor langen Jahren habe ich einiges gelesen. Ich war viel auf Reisen und habe viel gesehen. Über die Türken habe ich nichts gelesen, aber ich weiß genug von ihnen: Hier gibt es die grauen Wölfe, in Ihrer Heimat kommt alle zehn Jahre ein Militärputsch, die Osmanen sind damals bis Wien gekommen, und noch eins weiß ich: daß wir im Ersten Weltkrieg Waffenbrüder waren und sich die Türken ganz schön haben hinters Licht führen lassen."

Hoffmann lachte schlitzohrig und begann, weit ausholend über das osmanische Reich zu reden, wie groß es war, wie mächtig, ja, und wie kriegslustig die Osmanen waren. Er erzählte lange und ohne Unterbrechung.

Gerade als sei er zu Hause, saß Ebert da, ein Bein über das andere geschlagen, die dicke Gummisohle eines Schuhs auf Hoffmann gerichtet, und hörte mit fröhlichem Interesse zu.

Murat saß still und bescheiden wie ein braves Kind auf dem dunkelbraunen Stuhl, die Hände hatte er wie ein Koranschüler auf die Knie gelegt. Er fühlte sich unbehaglich. Nachdenklich sah er den Hausbesitzer an: "Wie witzig er ist und wie offenherzig! Er sagt einfach alles, was er denkt, ohne sich zu genieren. Er gibt uns gar keine Möglichkeit, etwas zu sagen. Bestimmt wird ihm die Einsamkeit zuviel. Einer, der so redet, bleibt in dieser Gesellschaft heutzutage natürlich allein. Er ist richtig ausgehungert danach, sprechen zu können. Das blonde Mädchen ist ungefähr in Kerems Alter. Sie wäre eine gute Spielkameradin für ihn. Wie schön das wäre, wenn sie vorn im Garten gemeinsam schreien und spielen würden. Wenn die Frau dahinten die Mutter des Mädchens ist, was ist sie dann wohl für Hoffmann - seine Tochter oder Frau? Ich weiß schon, er lebt sicher mit ihr zusammen, sie ist sicher seine Geliebte. Ich weiß, wie begeistert reiche Männer von jungen Frauen sind."

Seine Gedanken flogen bunt durcheinander, er konnte sich nicht auf einen Punkt konzentrieren. Seine Gedanken hüpften wie Vögel von Ast zu Ast, manchmal hörte er Hoffmann und Ebert überhaupt nicht mehr. Plötzlich schien er wie aus dem Schlaf hochzuschrecken und fragte:

"Herr Hoffmann, sind Ihre Mieter Türkenfeinde oder Kinderfeinde? In den letzten Jahren sind diese Feindseligkeiten in der deutschen Gesellschaft ja stark angewachsen."

Der Hausbesitzer war zu erstaunt, um darauf gleich antworten zu können. Die Nerven in seinem

Gesicht zuckten unruhig. Dann, begleitet von wildem Mienenspiel und mit großer Anstrengung ertönte endlich aus seinem Mund: "Ja ... ja. Nein, nicht möglich! Ich bin hier der Hausbesitzer. Hier kann Ihnen oder Ihren Kindern niemand feindlich gesonnen sein. Der müßte sich schon mit mir anlegen. Ich werde Sie jederzeit verteidigen. Ich habe die Ausländer immer verteidigt. Wenn der Bundeskanzler und Ali Krach hätten, dann wäre ich auf Alis Seite, das können Sie mir glauben. Schauen Sie mal!"

Er lief mit einer Schnelligkeit, die man ihm nicht zugetraut hätte, zur Terrassentür und riß sie auf.

"Kommen Sie, bitte! Schauen Sie sich diesen Garten an! Ich habe Bänke, für die Kinder einen Sandkasten, eine Rutsche und Schaukeln aufstellen lassen. Meine Kinder und die von gegenüber haben so fröhlich lachend damit gespielt. Und schauen Sie mal, da rechts, das kleine Holzhaus habe ich für die Kinder gekauft. Ganz genau fünfzehnhundert Mark!"

Mit weinerlichem Gesicht ging er ins Zimmer zurück. Als wollte er etwas erzählen, beugte er sich und wand er sich, hüpfte auf einem Bein hin und her, und seine Nerven zuckten ohne Kontrolle, Augen und Brauen sprangen in seinem Gesicht auf und ab.

"Ja, und meine kinderfeindlichen Mieter? Weil der Kinderlärm ihre Grabesruhe gestört hat, haben sie einfach die Miete um fünfzig Mark gekürzt und eine Unterschriftensammlung gegen die Spielgeräte im Garten veranstaltet. Haben mich obendrein auch noch verklagt! Dann habe ich ihnen auf den Kopf zugesagt: 'Ich werde eine türkische Familie mit sieben Kindern finden und denen die Wohnung vermieten, und zwar billiger als euch!'

Und ich werde mein Versprechen halten! Endlich werde ich diese Wohnung an Türken vermieten! Tja ... tja ... ich gebe Ihnen die Wohnung."

Mit diesen Worten sackte der Hausbesitzer Hoffmann wie ein zerlöcherter Luftballon in seinem dunkelbraunen Lehnstuhl zusammen.

Der Spezialist

Der Versicherungsdetektiv verfolgte sein neues Opfer. Wenn er erst einmal die Jagd auf einen betrügerischen Kranken eröffnet hatte, ließ er ihn nicht mehr aus den Augen; alle Gedanken kreisten nur noch um den vermeintlichen Simulanten. Bis jetzt war ihm, der seinen Beruf mit Leidenschaft liebte, noch nie einer entkommen.

Vergangene Nacht lag er in tiefstem Traum. Er träumte von seinen Jagden. Plötzlich schreckte er hoch, hüpfte im Bett auf und ab und rief: "Heureka!" Seine Freundin fuhr verängstigt aus dem Schlaf empor, blinzelte ihn mit verschlafenen Augen an, zog die Knie an die Brust und begann zu schluchzen. Er fixierte sie mit Falkenaugen, mit dem eiskalten Gesicht eines Jägers und raunzte sie an: "Hör' auf!"

Früh am Morgen stand er auf und begann mit dem morgendlichen Training. Anschließend schlüpfte er verschwitzt ins Bad, wo er sich ausgiebig kalt duschte. Als er die Jagd wieder aufnehmen wollte, verabschiedete ihn seine Freundin mit einem kindischen Schmollmund: "Willst du mir nicht sagen, was dir heute Nacht eingefallen ist?"

Seine Augen verengten sich zu Schlitzen. Er zog seine Freundin an sich, küßte sie leidenschaftlich und sagte: "Bleib so, ich liebe es, wenn du so kindlich bist!" In der Ruhe der Vorstadtsiedlung ließ der Detektiv seinen Wagen mit röhrendem Motor losbrausen. Noch kurze Zeit wurde er von zerfetzten Abgaswolken aus dem Doppelauspuff verfolgt, die, als er schneller wurde, zurückblieben und sich langsam gen Himmel verflüchtigten. Mit routinierter Geste schaltete der Detektiv das Radio an. Der Innenraum des Wagens füllte sich mit Bach´scher Orgelmusik. Eine majestätische Toccata passierte seine Ohren und drang tief in sein Inneres ein. 'Wie glücklich ich bin', dachte er und lächelte, 'die Musik ist genau richtig.' Er verstand zwar fast nichts von Barockmusik, aber wenn er deprimiert oder auch in Hochstimmung war, sehnte er sich nach Bach. Vielleicht liebte er Bach, weil in seiner Musik etwas war, das ihn an Gott erinnerte, an Jesus, Maria, an Sünde und Reinheit. Der Detektiv murmelte: "Das ist mein Tag; heute wird er mir nicht entkommen!" Während er an einer Ampel halten mußte, huschte sein Blick über die einzelnen Werkzeuge auf der Rückbank. Seine Ausrüstung war vollständig. Er wartete nicht auf Grün, sondern trat das Gaspedal schon bei Gelb durch.

In Gedanken war er wieder bei seinem Opfer: 'Seit genau elf Monaten betrügt er die Krankenversicherung. Jetzt verlangt er zusätzlich zum Krankengeld auch noch eine Invalidenprämie. Wenn die Versicherung jedem dieser Simulanten Krankengeld und eine fette Prämie zahlen müßte, wovon bekäme ich dann mein Honorar? Ach, man sollte diese Ärzte, die ihre Patienten ohne zu zögern krankschreiben, disziplinieren. Für mehr Geld und mehr Kunden schreiben die doch fast jeden arbeitsunfähig. Mal sehen, wie lange dieser Krieg zwischen den Ärzten und den Versicherungen noch dauern wird. Es kann mir ja eigentlich egal sein. Nein, wenn dieser Krieg nämlich ein Ende hat, werde ich arbeitslos. Der Krieg muß weitergehen!

Ich kann nicht wie die anderen Dummköpfe von Versicherungsdetektiven nur mit dem Monatslohn auskommen. Allein mein anschmiegsamer Liebling zu Hause ... Dann meine goldene Armbanduhr. Der Sportwagen unter mir wie eine teure Araberstute.

Der russische Brillant an meinem linken Ohr. Und ein Saunaabend pro Woche. Ein Tennisabend, ein Abend beim Boxtraining, und nicht zu vergessen: die Wochenendparties und meine Luxuswohnung. Am besten, man arbeitet nach meinem System: Kopfgeld.

Ich bin wirklich froh, daß es sie gibt: meine Todfeinde, die Simulanten. Wenn es sie nicht gäbe, wie käme ich dann zu meinem Honorar und den zehn Prozent von der Prämie?

Faszinierend: seit sieben Monaten ist ihm keiner unserer Angestellten auf die Schliche gekommen. Wenn sie ihn erwischt hätten, wäre ich jetzt arbeitslos. Je mehr von diesen Möchtegern-Schlauköpfen auf der Welt herumlaufen, umso mehr Arbeit für mich. Zuerst werde ich ihm die Goldmedaille verleihen. Keiner unserer Detektive hat jemals gesehen, wie er den Rücken gebeugt hat. Wie war das? Wegen der Bandscheiben könne er nicht mehr arbeiten. Wegen einer Halswirbelverkalkung könne er den Kopf nicht mehr drehen. Geschäftstüchtige Ärzte haben ihm dies auch noch bestätigt und passende Gutachten erstellt. Sogar seinen ehelichen Pflichten könne er nicht mehr nachkommen. Dabei ist er erst neunundvierzig. Wie einfach ist es doch, zu sagen: <Ich kann mich nicht bücken, ich kann meinen Kopf nicht bewegen und meine Männlichkeit ist dahin.> Spiel Deine Komödie nur weiter! Nimm deine Invalidenprämie und leb' wohl!

Weder das Arbeitsgericht noch die Vertrauensärzte haben sich in sechs Monaten entscheiden können. Aber irgenwann werden sie ihm glauben. Ich muß mich beeilen!

Das hat er sich fein ausgedacht: Einfach darauf zu spekulieren, daß ihm niemand nachweisen kann, sein Rücken sei gesund. Ich werde aber beweisen, daß er sich bücken kann und auch wieder hochkommt. Ich werde ihn schnappen! Er wird mir nicht durch die Finger schlüpfen! Er hat sich wohl schon in jungen Jahren zum Ziel gesetzt, Frührentner zu werden.

Ich habe bis heute nicht so ein Schlitzohr gesehen. Einmal bin ich mit Vollgas auf ihn zugefahren und er hat nicht einmal mit der Wimper gezuckt. Gerade so als hätte er mich nicht gesehen und das Quietschen der Reifen nicht gehört, ist er einfach an seinem Stock schlurfend über die Straße gegangen.

Wie die anderen Idiotendetektive habe ich zwei Autos gerammt und zu Schrott gefahren. Na gut, den einen Wagen hat die Autoversicherung bezahlt, aber meinen eigenen? Ich habe ihn auf den Schrottplatz gebracht und für ein Trinkgeld verkauft. Allerdings hatte ich es ja auch nur für diesen Zweck erworben. Die Kosten werde ich schon wieder reinholen.

Wie konnte er sich vor zwei Wochen aus meinem Griff herauswinden? Wie jeden Tag ging er nach dem Kaffee in Richtung seiner Wohnung. Ich habe meinen Schäferhund von der Leine gelassen und ihn mit einem Mordsgebell angreifen lassen. Aber der Kerl hat sich überhaupt nicht bewegt. Er hat das nicht einmal ernstgenommen. Er hat einfach auf seinem Stock gestützt dagestanden und mit einer Unschuldsmiene dem Hund direkt in die Augen geschaut. Aber komisch, dieses wilde Biest, Schakal, hat ihn ebenfalls treuherzig angeguckt und sich aufs Trottoir gesetzt.

Ich bin mir sicher, daß er von meiner Verfolgung weiß. Wie kann ein kleiner Arbeiter nur so schlau, so intelligent und so kaltblütig sein? 'Heute werde ich dich erlegen! Schakal habe ich wegen Unfähigkeit in den Ruhestand versetzt. Aber dich werde ich nicht in Rente gehen lassen! Ich werde zwei Fliegen mit einer Klappe schlagen: Das Krankengeld wird dir gestrichen und von der gesparten Prämie gehen zehn Prozent auf mein Konto.'

Eine lauwarme Morgensonne beschien die Straße. Die auf beiden Seiten parkenden Autos hatten die Fahrbahn verengt. Die Rentner gingen pünktlich wie immer ihren Frühstückseinkäufen nach. Er trat durch eine der Türen, die sich zur Straße hin öffnet. Wie gewöhnlich schlurfte er mit steifem Kreuz an seinem Stock die Straße entlang. Seine blauen Augen waren über der breiten Nase stur nach vorne gerichtet. Sein Blick war leer. Man konnte glauben, er sähe nichts. Als hätte er einen Stock verschluckt, bewegte er sich geradeaus.

Seiner morgendlichen Gewohnheit gemäß würde er erst zum Kiosk gehen, zwei Zeitungen kaufen und dann in dem Café an der Einmündung zur Hauptstraße zwei Tassen Kaffee trinken, während seine Augen in einer der beiden Zeitungen versinken würden. Vielleicht träumt er dann sogar von seiner Invalidenprämie.

Genau gegenüber in einem alten kleinen Hotel hatte der Versicherungsdetektiv in einem Zimmer auf der ersten Etage seine Falle vorbereitet. Die Videokamera mit Teleobjektiv war so auf das Stativ geschraubt, daß sie die Eingangstür überwachte. Der Detektiv stand daneben und beobachtete mit dem Feldstecher, wie der Kranke das Café verließ. Es waren nur wenige Leute auf dem Bürgersteig unterwegs. Vereinzelt kamen Rentner vom Einkauf zurück. Ab und zu fuhr auf der Straße ein Auto vorbei.

Während der Detektiv durch den Feldstecher lugte, kaute er hastig ein Kaugummi. Sein Objekt verließ langsam das Café. Der Detektiv ließ den Feldstecher sinken und hob ihn erneut vor die Augen. Der Mann schlurfte die Straße hinauf. Bis zur Wohnung braucht er immer genau sechs Minuten. Der Detektiv lief schnell hinunter ins Erdgeschoß.

Als er durch die Hotelhalle schlüpfte, zog er sein Portemonnaie hervor. Den größten Geldschein faltete er blitzschnell in der Mitte zusammen. Dann trennte er ein Stück von seinem Kaugummi ab und drückte es vorsichtig auf die Mitte des gefalteten Scheins. Sachte öffnete er die Außentür und sah zum Café hinüber. Der Mann war noch nicht zu sehen. Der Detektiv huschte über die Straße und klebte den Geldschein einen Meter vor der Haustür auf den

Boden. Dann machte er kehrt und lief eilig in das Hotel zurück. Auf der Treppe nahm er drei Stufen auf einmal und hastete in sein Zimmer. Sofort bezog er mit dem Feldstecher Posten. Der Kranke war schon ein gutes Stück vom Café entfernt. Mit kleinen, langsamen Schritten kam er näher. Der Detektiv sah auf seine Armbanduhr und überprüfte erneut die Videokamera. Alles war in Ordnung und bereit.

Der Kranke bewegte sich im Schneckentempo. Ungeduldig biß der Detektiv auf seine Nägel. Sein Gegenüber trug einen Trenchcoat, in der einen Hand den Stock und in der anderen die Zeitungen.

Dem Detektiv stand der Schweiß auf der Stirn. Obwohl er den Mann näherkommen sah, schaute er in immer kürzeren Abständen auf die Uhr. Noch dreißig Meter, noch zwanzig Meter, dann endlich erreichte der Mann den Blickwinkel der Kamera. Auf Knopfdruck begann das Videogerät zu surren. Der Kranke trippelte robotergleich vorwärts. Genau vor der Haustür stockte er. Er sah den Geldschein. Sein Körper begann zu zittern. Ohne den Kopf zu bewegen, drehte er sich nach beiden Seiten um und beäugte die Umgebung. Langsam öffnete er an seinem Trenchcoat einen Knopf nach dem anderen. Dann hängte er seinen Stock über den linken Arm. Aus der Brusttasche seines Jackets zog er mit einer bedächtigen Bewegung einen Kaugummi. Er zelebrierte das Entfernen der Verpackung und schob den Inhalt zwischen seine Zähne. Nach gründlichem Kauen nahm er das Klümpchen aus dem Mund und befestigte es unter großer Kraftanstrengung am unteren Ende des Stocks. Er machte zwei Schritte und preßte den Stock auf den Geldschein.

Der Schein, der nur mit einem kleinen Stück Kaugummi am Wegfliegen gehindert wurde, konnte dem großen zähen Klumpen am Stock keinen Widerstand entgegenbringen. Der Mann schob den Geldschein kaltbütig in die Jackentasche und schlurfte langsam und bedächtig nach Hause.

Schmollender Vollmond

Die zwei Männer saßen nebeneinander. Den Rücken hatten sie der straßenwärts gelegenen Fensterfront zugekehrt. Außer ihnen war niemand im Raum. An den schmutzigweiß verputzten Wänden des Lokals hingen Ölgemälde, auf dem Wandbrett standen irdene Weinkrüge. Zwischen die Blumentöpfe auf der Fensterbank fielen die Strahlen der Mittagssonne. Der leise Gesang einer rauchigen Männerstimme verbreitete sich im Raum.

Der kleinere und etwas untersetztere der beiden Männer trank Mineralwasser, der große Schlanke nippte an einem Glas Rotwein. Die zwei waren braungebrannt, gleichen Alters und trugen beide einen Schnäuzer. Sie unterhielten sich. Der Große drückte sich mit gequältem Gesicht die Faust auf den Bauch und bemerkte:

"Dieses Zwölffingerdarmgeschwür läßt mir keine Ruhe. Mit den nächtlichen Schmerzen habe ich mich schon abgefunden. Wenigstens tagsüber sollten sie mich nicht belästigen!"

Der Kleine sah ihn teilnahmsvoll an: "Ich habe dir gesagt, du sollst keine stark säurehaltigen Getränke zu dir nehmen, aber du hörst ja nicht auf mich! Siehst du, du trinkst schon wieder Wein!"

"Was soll ich denn sonst trinken?"

"Wodka, Gin, Cognac ... Diese Getränke haben fast keine Säure. Dann bekommst du keine Schmerzen, weil dein Magen betäubt ist."

Beide lachten schallend. Der Große sagte lapidar:

"Ich weiß, was ich mache, ist eine verfrühte Einladung an meinen Tod. Auf mein schnelles Ende!" Er sah dem anderen mit erhobenem Glas in die Augen und trank.

Beide waren zwischen fünfunddreißig und vierzig Jahre alt. Die Stirn des Kleinen war schon gelichtet, sein verbliebenes Haupthaar hatte er schnurgerade nach vorne gekämmt. Der Goldrand seiner Brille funkelte hell. Die großgelockten, schwarzen Haare des Großen waren am Schläfenansatz leicht silbergrau.

Während die beiden sich noch angeregt unterhielten, kam die Inhaberin der Kneipe und sprach den Kleinen an:

"Sie wissen doch, ich verkaufe dies Lokal hier. Die Käufer wollen in einer halben Stunde hier sein. Wenn der Laden dann so leer ist wie jetzt, muß ich ihn für ein Butterbrot weggeben. Rufen Sie Ihre Freunde und Bekannten an. Bitte! Heute gibt es alles gratis; ich nehme keinen Pfennig!"

Sie war um die fünfzig, hager und hatte einen dunklen Teint. Ihr Gesicht war traurig; ihr schwarzes Kleid mußte den Eindruck erwecken, sie sei in Trauer. Um sich als Bedienung kenntlich zu machen, trug sie eine kleine weiße Schürze. Ihr Mann hatte den Küchendienst übernommen. Aber anstatt Pizzen vorzubereiten, trank er gelangweilt seinen Wein.

Der Kleine warf der Wirtin einen liebevollen, fast schon zärtlichen Blick zu und versuchte, sie zu beruhigen:

"Seien Sie nicht so traurig. In einer halben Stunde mache ich Ihnen den Laden voll."

"Wie denn? Es ist Urlaubszeit. Aber wenn Sie meinen, bitte, tun Sie was! Rufen Sie schnell an! Keiner soll mir heute bezahlen."

Der Kleine warf dem Großen einen schelmischen Blick zu und wandte sich zur Tür.

"In fünf Minuten bin ich zurück."

Er hatte es nicht weit. Sein Büro lag gleich nebenan. Er setzte sich neben das Telefon und entlockte seinem Schreibtischmonitor die Adressendatei. Dann rief er die ältere seiner beiden Sekretärinnen zu sich. Die Wände des Reisebüros waren mit Postern verschiedener südlicher Länder und großformatigen Werbeplakaten von Fluggesellschaften geschmückt. Hinter den aufgereihten Schreibtischen saßen zwei Frauen und ein Mann, mit gesenkten Köpfen in ihre Arbeit vertieft.

Die schreiendbunten Plakate waren mit rotköpfigen Stecknadeln auf einer sehr teuer wirkenden Textiltapete befestigt. Die orangenen, mit dem Emblem einer großen Fluggesellschaft verzierten Aschenbecher neben den Computerterminals quollen über vor Zigarettenkippen. An den fabrikneuen weißen Schreibtischen standen längst aus der Mode gekommene hölzerne Stühle. Die vor dem Fenster hindämmernden Zimmerpflanzen waren bis zu den untersten Blättern in Erde eingegraben. Im auf Handbreite gesunkenen Wasser des Aquariums schwammen träge einige Goldfische umher. Die grelle Beleuchtung hätte einem Fotostudio alle Ehre gemacht.

Unterdessen saß der Große alleine bei seinem Glas Wein. Die Wirtin servierte eine Pizza und sprach mit besorgter Miene: "Wird er es schaffen?"

"Keine Sorge; in wenigen Minuten glauben Sie, auf einem Jahrmarkt zu sein."

Eine junge Frau, wohl ungefähr fünfundzwanzig Jahre alt, betrat das Lokal. Sie hielt den Kopf gesenkt und schaute weder nach rechts noch nach links. Schüchtern bestellte sie ihr Essen. Mit einer Karaffe Wein in der Hand näherte sich die Inhaberin dem Großen, beugte sich vor und flüsterte ihm ins Ohr:

"Ich hatte den Hausmeister benachrichtigt. Er sollte alle Mieter einladen. Die junge Frau ist auch aus dem Haus"; dann trat sie einen Schritt vom Tisch weg und zwinkerte dem Großen unerwartet kokett zu.

Der Kleine kam herein und rief: "Alles klar! So

viele Pizzen können Sie gar nicht backen!" Während er seinen Platz wieder einnahm, bemerkte er die junge Frau. Er sah sie lange unverwandt an. Dann drehte er sich zu dem Großen:

"Ist sie nicht wunderbar?"

Desinteressiert verzog der Große die Mundwinkel.

"Ich mag diesen Typ Frauen", bemerkte der Kleine und fuhr fort:

"Sie ist wie eine knospende Blume."

"Der kleine Vogel hat einen großen Schnabel. Woher willst Du wissen, ob diese Knospe noch geschlossen ist?"

Teilnahmslos leerte der Große sein Glas mit einem Schluck. Trotz seines schütteren Haares, der dicken Brille, dem Bauchansatz und dem Dreitagebart war der Kleine mit seinen lachenden Augen eine sympathische Erscheinung. Dem Großen gelang es mit seiner kühlen Selbstsicherheit nicht, so freundlich zu wirken.

Als sich die Blicke des Kleinen und der jungen Frau trafen, begann der sofort ein Gespräch:

"Möchten Sie nicht hier Platz nehmen? Wir könnten zusammen essen."

Die junge Frau lächelte verwirrt und senkte wortlos den Blick. Der Kleine setzte hinzu: "Sie brauchen sich nicht zu genieren. Wir sind übrigens Nachbarn, aber leider haben wir uns bisher nicht kennengelernt."

Langsam erhob sich die junge Frau von ihrem Platz und näherte sich schüchtern den beiden Männern. Wortlos schüttelte sie erst dem Kleinen und dann dem Großen die Hand. Nachdem sie sich gesetzt hatte, sah sie den Kleinen an und begann zu reden:

"Ich wohne im dritten Stock. Arbeiten Sie im Büro unten?"

Der Große ließ dem Kleinen keine Zeit und antwortete: "Ja! Er ist mein bester Freund und der Inhaber des Reisebüros nebenan. Wenn Sie möchten, kann er Ihren nächsten Urlaub organisieren.

Ich beschäftige mich übrigens mit Versicherungen."

"Mit welchem Geld? Ich bin Studentin."

"Ich kann Ihnen ein günstiges Angebot machen", beeilte sich der Kleine festzustellen und fügte bekräftigend hinzu: "Wir sind schließlich Nachbarn."

Irgendwie hatte zwischen den beiden Freunden eine stille Rivalität begonnen. War es Spaß oder Ernst? Beide wollten es voreinander verbergen und lächelten sich freundschaftlich zu.

"Was studieren Sie?", wollte der Große wissen. "Sonderpädagogik."

"Dann sind Sie die Richtige für meinen Freund. Sie können sich nicht vorstellen, wie er Sie braucht."

Zornig zuckte sie hoch: "Warum?"

Der Große machte ein trauriges Gesicht:

"Weil mein Freund ein hochgradiger Sonderling ist", und er erläuterte mit Trauermiene und gesenkter Stimme, als wolle er ihr ein großes Geheimnis anvertrauen: "Er hat bis zum siebten Lebensjahr an der Mutterbrust gesogen. Deshalb ist er bis heute ein Sonderling geblieben. Sein Problem ist, daß er nicht alleine bleiben kann. Diese Krankheit, nicht alleine sein zu können, kommt von diesen sieben Säuglingsjahren."

Die junge Frau und der Große lachten, während der Kleine mit einem fast unmerklichen Lächeln zum Eingang starrte.

Nach und nach kamen neue Gäste. Die meisten grüßten flüchtig aus einigen Metern Entfernung. Der Große stupste den Kleinen an: "Wie hast du so schnell die ganzen Leute aufgetrieben?" Der Kleine lächelte triumphierend:

"Ich habe meiner Sekretärin fünfzig Telefonnummern von Kunden gegeben. Wenn die Hälfte kommt, reicht es."

Mittlerweile gab es im ganzen Lokal keinen freien Platz mehr. Der Geräuschpegel stieg beträchtlich. Die Inhaberin brachte auf einem Tablett drei angewärmte Gläser Cognac und bedankte sich temperamentvoll bei dem Kleinen, indem sie ihn auf die Wange küßte. Eine rosige Flamme überzog sein Gesicht.

Der Große beugte sich zu der jungen Frau hinüber. "Für Sonntag habe ich zwei Theaterkarten. Wollen Sie mich begleiten?"

"Warum gehen Sie nicht mit Ihrem Freund?"

"Er geht nicht gerne ins Theater. Ich dachte, Sie mögen vielleicht Theater."

"Ja, ich mag Theater, Kino noch mehr. Aber ich arbeite sonntags, und danach bin ich immer müde."

Vorsichtig wie ein Spieler, der seinen letzten Trumpf ausspielt, setzte der Große hinzu:

"Wenn Sie kämen, wäre ich sehr froh. Sie brauchen Abwechslung. Ich kann Sie zu Hause abholen."

Die junge Frau nickte zögernd:

"Gut."

Ohne sich seine Freude anmerken zu lassen, sah der Große auf die Uhr:

"Wie schön. Die Vorstellung beginnt um acht Uhr. Gegen sechs Uhr hole ich Sie ab. Sie können dann runterkommen."

"Ja, gut." Der Große blickte erneut auf seine Uhr und erhob sich.

"Wir sehen uns dann am Sonntag. Machen Sie's gut. Ich muß gehen."

Auch der Kleine stand auf. Die junge Frau machte keine Anstalten, sich zu erheben.

Während die beiden sich draußen voneinander verabschiedeten, begann die Wirtin an einem Ecktisch mit mutigen Gesten die Kaufverhandlung mit drei konservativ-streng gekleideten Herren. Ihr Mann wischte sich unterdessen in der Küche den Schweiß von der Stirn. Wie sollte er bloß die vielen Pizzen heranschaffen?

Endlich kam der Tag der Verabredung. Sorgfältig rasierte sich der Große, manikürte seine Nägel und benetzte seine Achseln mit einem herb durftenden

Deo. Gerade setzte er sich an den Frühstückstisch, als die Sonne durch das Gartenfenster lugte und den Raum in freundlich-helles Licht tauchte. Er scherzte mit seiner Frau und den drei Kindern, schmierte ihnen Brote und goß ihnen Milch ein. Als der Tee für seine Frau fertig war, sprang er noch vor ihr auf und schenkte ihr ein. Nach dem Frühstück räumte er fröhlich den Tisch ab und befreite sorgfältig die Tischplatte von Krümeln. Am Nachmittag hockte er zusammen mit seinen Kindern vor dem Fernseher. So sehen wohl glückliche Väter und Ehemänner aus!

Gegen Abend zog er eine Kordhose und seine Lederjacke an, zog die Schnürsenkel seiner Tennisschuhe fest und verkündete: "Ich habe noch einen guten Kunden zu bedienen. Er will mir heute abend eine Lebensversicherung unterschreiben."

Liebevoll umarmte er seine Frau, gab ihr einen zärtlichen Kuß und verabschiedete sich.

Am Morgen des gleichen Tages putzte die junge Frau die Zimmer eines Hotels am Stadtrand. Emsig reinigte sie Waschbecken, Badewannen und Toiletten und dachte zugleich über das Thema ihrer Diplomarbeit nach.

Der Große näherte sich mit seinem Wagen dem Treffpunkt. Er kurbelte das Schiebedach herunter und drehte das Autoradio bis zum Anschlag auf.

Er war eine Viertelstunde zu früh. Er parkte direkt vor dem Wohnhaus der jungen Frau. Die Fenster des Reisebüros waren mit knallig bunten Postern beklebt.

Nachdem er eine halbe Stunde vergebens gewartet hatte, ging er ungeduldig zur Haustür und suchte die Klingelschilder ab. Auf allen standen nur die Nachnamen der Mieter.

Warum hatte er sie nicht nach dem Nachnamen gefragt? Wütend drückte er nacheinander alle Knöpfe. Der Türsummer machte sich mehrmals bemerkbar, aber die junge Frau kam nicht herunter. Er stieg wieder in seinen Wagen und trat aufs Gas.

Auf dem Weg zum Theater stattete er noch verschiedenen Cafés einen kurzen Besuch ab. Als er schließlich am Theater ankam, hatte er zwei Einladungen in der Tasche und einen Liter Wein im Magen.

Nur zehn bis fünfzehn Besucher saßen in dem kleinen Kellertheater. Mit geschlossenen Augen ließ der Große das Ein-Personen-Stück an sich vorbeiziehen. Eine Schauspielerin mit jungenhaft gestutzten Haaren und in kurzen Hosen mit Hosenträgern kommentierte die unmoralische Welt der Erwachsenen aus der Sicht eines Kindes.

Auch die anschließende Premierenfeier war wenig aufregend. Alle Zuschauer schienen Freunde und Bekannte der Schauspielerin zu sein. Der junge Schauspieler, dem der Große seine Einladung zu verdanken hatte, war selber nicht erschienen. Mit langem Gesicht saß der Große da und sprach mit niemandem.

Nach der Feier machte er einen Abstecher in die nächste Kneipe. Auf dem Heimweg revoltierte sein Magen. Er mußte sich auf den Gehsteig setzen. Wie ein kleiner Junge, der mit Murmeln spielt, warf er sein Kleingeld nach dem Gitter des nahen Kanaldeckels. Die Groschen, die nicht in die dunkle Tiefe fielen, rollten im Kreis über die Straße und breiteten sich unter dem Lichtkegel der Laterne vor ihm aus. Als er seine Taschen auf weiteres Kleingeld hin durchsuchte und das Futter von innen nach außen drehte, hätte ihn beinahe ein Wagen gestreift. Endlich wankte er heimwärts.

Am Himmel leuchteten die Sterne und ein schmollender Mond. Leise schlüpfte er neben seine schlafende Frau. Das Licht des Mondes fiel durch das Fenster und besprenkelte die Ecken des Zimmers mit leuchtendem Widerschein.

Vernissage
(für Thomas)

Ganz langsam drehte sie sich im Bett um. Die vom Sonnenlicht durchflutete Decke rutschte ihr von der Schulter. Ihre festen, marmormatten Brüste drückten gegeneinander.

Der Maler knöpfte sein Hemd zu und sah die junge Frau an. Seine Augen ruhten lange Zeit auf ihrem unschuldigen Gesicht. Die Hand bereits auf der Türklinke, drehte er sich noch einmal um und ging zur Staffelei in der Mitte des Zimmers zurück. Dort saß sie; nackt, auf einer Wäschetruhe. Sie biß in einen roten Apfel, der an Größe ihrem Gesicht um nichts nachstand. Ihre schwarzgeschminkten Augen waren halb geschlossen.

'Wie jung sie ist. Zuerst war sie ein Aktmodell für zwanzig Mark die Stunde. Jetzt ist sie unbezahlbar', dachte er und sah sie erneut aus der Nähe an.

Das Bild war fast fertig.

'Warum habe ich mich für die Vernissage heute abend noch nicht fertig gemacht?

Am liebsten möchte ich nicht einmal eine Skizze von ihr zeigen. Für andere sind meine Bilder doch nur Aktien an der Kunstbörse.'

Draußen empfing ihn gleißender Sonnenschein. Er sah zur Fußgängerzone hinüber. Auf den Bänken saßen einige alternde Pärchen. Sein Blick wanderte weiter, hinüber zu den biertrinkenden, scherzenden Menschen, die manchmal in weinendes Gelächter ausbrachen. Bis zur Vernissage hatte er noch Zeit.

Die Wärme des Frühlingsnachmittags, der Duft,

die Farben und die gurrenden Tauben, all das war so betörend. 'Warum kann ich nicht solche Bilder malen? Alltägliche Fröhlichkeit, die innere Welt der Menschen, die unbestimmte Glückseligkeit einer mir zuwinkenden alten Frau? In meinen Bildern steht immer der Tod als Zeuge des Lebens. Bin ich alt geworden? In meiner Jugend war alles anders, die Farben, die Menschen und auch mein Blick.'

Plötzlich dachte er wieder an sein Modell, seine jetzige Geliebte:

'Heute Nacht werde ich ... *Wir* werden in die Berge fahren! Irgendwo, wo sie noch nie gewesen ist. Sie soll vom Fenster aus auf die Berge blicken, dann werde ich sie mit einem kostbaren Geschenk überraschen.

Wenn ich heute zu meiner Ausstellungseröffnung gehen würde, würde ich zuerst mit der Nase auf mein großes Ausstellungsplakat stoßen. Ich hätte nur ein müdes Lächeln im Mundwinkel und würde wie betrunken hin und her wanken. Wenn ich meinen Galeristen sehen würde, würde ich ihm mit schmerzverzerrter Miene entgegentreten. Er würde mit ausgestreckten Armen auf mich zukommen und sagen: <Wo bist du so lange gewesen, großer Meister? Wie kannst du nur zu spät zu deiner eigenen Vernissage kommen? Alle warten schon auf dich!>

Ich würde abwinken und sagen, daß ich zuviel getrunken hätte und mich dann an ihn lehnen. Dann würde er mir ins Ohr flüstern:

<Du solltest nicht soviel trinken.>

<Ist egal, ich lade den Tod zu mir ein.>

Das erste Glas, das mir in die Finger käme, würde ich absichtlich mit einem Schluck leeren.

Ich könnte den Arm des Galeristen drücken und ihn fragen, wie es mit dem Verkauf aussieht. Ich bin sicher, er würde sofort ein langes Gesicht machen und antworten: <Im Moment läuft gar nichts.>

Den Kunstkritiker mit dem mürrischen Gesicht,

der für seine schlechten Kritiken berühmt ist, würde ich wohl begrüßen müssen. Mit den beiden reichen Sammlern muß ich lächelnd anstoßen, und wenn ich mich dann mit müden Beinen und gekrümmtem Rücken unter die Besucher mische, kann ich ihren Gesprächen lauschen.

Ein großer Mann mit Pfeife wird vielleicht sagen: <Der Künstler zeigt uns seine verborgenen Emotionen.> Die junge kokette Frau von einem der beiden reichen Sammler wird dann temperamentvoll bemerken: <In diesem hier sehe ich seinen erotischen Realismus.> Eine Stimme hinter mir mag sagen: <Er ist ein großer Meister, er versucht die Geheimnisse der Wirklichkeit zu ergründen.> Von der ehemaligen 68erin mit der Silbernadel auf der roten Krawatte wäre wohl zu hören: <Er sucht die Bedeutung des Existenzialismus; dieses halb abstrakte Bild spricht mich außerordentlich an.>

Dann wäre da noch der blutjunge Maler in Begleitung einer Akademikerin, der er die Bilder erklärt. Von ihm bekäme ich wohl zu hören, daß die Malerei keine romantische Beschäftigung mehr sei. Sie sei zur Ware verkommen, und der Künstler natürlich auch ...'

Er lief in die erste Telefonzelle, die er sah. Keuchend begann er zu sprechen:
"Ich liebe dich. Ich werde nicht zur Vernissage gehen! Frag bitte nicht warum... Bitte erledige etwas für mich; fahr sofort zur Galerie. Sag ihnen, ich hätte eine Magenblutung bekommen. Du hättest mich ins Krankenhaus gebracht, und ich würde operiert. Die Ärzte hätten keine Hoffnung mehr; nur ein Wunder könne mich noch retten. Vergiß bitte nicht, einen roten Punkt an das Bild zu kleben, für das du Modell gesessen hast. Es darf nicht verkauft werden! Bitte, vergiß das nicht! Komm sofort nach Hause. Wir werden sie glücklich machen. Alle wissen von meinem Magengeschwür und warten auf meinen Tod. Jetzt

weißt du, warum ich in letzter Zeit so viele Vanitas-Motive gemalt habe."

Drei Stunden später gab der Maler an Bord eines Flugzeuges in Richtung Süden seiner jungen Geliebten einen schmatzenden Kuß auf die Wange. Mit strahlenden Augen flüsterte er:

"Es ist vollbracht!"

Im Keller

Gestern abend habe ich erfahren, was ihr Mann beruflich macht. Ich finde es immer langweilig, jemanden, den man gerade kennenlernt, zu fragen:
"Was machen Sie beruflich?"

Wenn man mir diese Frage stellt, werde ich schnell nervös. Ich kann nicht "Ich bin Maler!" oder "Ich bin Künstler!" sagen. Ich antworte für gewöhnlich nur: "Ich male!" - mehr nicht.

Ihren Mann habe ich übrigens nur dreimal kurz gesehen. Jedesmal, wenn ich sie besuchte und wir uns über Malerei unterhielten, entschuldigte er sich ganz leise und ging in den Musikraum im Keller. Sobald er aus der Tür war, ließen wir, in der einen Hand ein Cognacglas, unsere freie Hand einander über unsere Körper spazieren.

Sie beschäftigte sich damit, mir meine neuesten Werke für wenig Geld abzukaufen und teuer an gutsituierte Leute weiterzuverkaufen. Ich war müde davon, mit der Mappe unter dem Arm von Galerie zu Galerie zu laufen und Leuten, die von Malerei nur wenig Ahnung hatten, Nachhilfe in Kunst zu geben. Daher kam mir dieser Handel sehr gelegen. Außerdem war sie eine reife Schönheit. Ich konnte mit ihr stundenlang über Malerei plaudern.

Als ihr Mann mit einem Kollegen fünf Tage Winterurlaub machte, blieben wir das erste Mal über Nacht zusammen. Sie hatte ein Abendessen vorbereitet. Drei rote Kerzen zierten den hübsch gedeckten

Tisch. Aber trotz ihrer Mühe war mir das Essen gleichgültig. Ich saß wie auf heißen Kohlen.

Mich störten die gemeinen, treulosen Augen, mit denen mich ihr dreijähriger Sohn beobachtete. Ich wußte: Um die Mutter zu erobern, mußte ich mich zuerst mit ihrem Kind anfreunden. Aber mit diesem Kind konnte ich auf dem Boden herumkrabbeln und -tollen wie ich wollte, ich hatte einfach keinen Erfolg damit. Der Junge war zwar nicht besonders unfreundlich zu mir, starrte mich aber mit seinen grauen Augen an. Tief in ihnen schimmerte ein verborgener Zorn, oder vielleicht kam es mir auch nur so vor.

Bevor ich selber Kinder hatte, mochte ich die kleinen Rangen alle gern. Wenn ich bei Besuchen welche traf, nahm ich sie Huckepack. Mit solchen Kindern war ich so glücklich. Manche von ihnen sagten:

"Bleib' doch hier, du kannst mein Vater sein."

Soviel Zuneigung erfreute mich und machte mich schüchtern. Aber jetzt kann ich außer meine eigenen keine Kinder mehr liebhaben. Seit einem Jahr leben meine Kinder mit ihrer Mutter in einer Küstenstadt im Süden.

Ach, die Babies, so sauber, so unbefleckt, haben gar keine Ahnung von den tausend Schmutzigkeiten dieser Welt. Aber das reine Herz hält nur zwei, drei Jahre. Dann lernen sie "Meins!" und fangen an, anderen Kindern ihr Spielzeug wegzunehmen und sie zu schlagen.

"Peng, peng!"; wie Pistolen richten sie ihre kleinen Finger aufeinander und alle Anmut ist verloren. Dann nehmen sie den für sie reservierten Platz als jüngste Mitglieder in der Bande der Schuldigen dieser Welt ein. Fragen Sie mich nicht, wie stolz die Eltern darüber sind und wie sie ihre Kleinen loben. Auch Pädagogen stehen da nicht zurück:

"Das Kind muß wach und raffiniert sein, um sich durchsetzen zu können."

Sie erziehen keine Kinder, sondern drillen Soldaten für eine namenlose Armee. Der öffentliche Wettbewerb ist im vollen Gange: 'Wer hat das raffinierteste Kind?'

"Es ist schon acht. Kannst du ihn nicht ins Bett bringen?", wollte ich ungeduldig wissen.

"Morgen ist Samstag; deshalb geht er freitags immer ein wenig später ins Bett", antwortete sie und strich ihrem Sohn über den Kopf. Dann drückte sie ihn an ihre Brust und küßte ihn auf die Nasenspitze. Sie wollte mit mir schlafen. Zum ersten Mal. Und ich hatte gehofft, sie würde das Kind früh ins Bett bringen. Aber ich hatte das mütterliche Herz ganz vergessen.

Während ich schreibe, erklingt in mir das Stück, das ihr Mann im Keller auf dem Klavier spielte. Ich versuche, wegzuhören, zu verdrängen, aber ich höre diese göttliche Musik immer wieder. Spielte er jeden Abend das gleiche Stück oder nur dann, wenn ich zu Besuch war? Ich weiß es nicht. Seine Musik war sehr traurig und voller Schmerz. Wir hingegen waren ganz und gar nicht traurig. Wir genossen den Cognac und streichelten uns lautlos. Unsere Ohren lauschten dem Klang des Klaviers. Bis ich die Wohnung verließ, kam ihr Mann nicht aus dem Keller herauf.

Ich lege den Stift nieder und stehe auf. Ich gehe im Zimmer auf und ab, die Hände in den Hosentaschen. Ich suche meine Lieblingsplatte heraus. Mein Freund, ein alter Seebär, brachte mir die Platte aus Zentralasien mit. Ich stelle die Musik so leise, daß sie gerade noch wahrnehmbar ist, und drücke die Taste für die automatische Wiederholung. Ich werde nicht eher aufstehen, bis ich mit dieser Erzählung fertig bin. Wie oft werde ich diese usbekische Musik wieder und wieder hören?

Übrigens: Fragen Sie mich nicht, was der alte Kapitän, mein Freund, in der Mittelasiatischen Steppe gemacht hat. Das ist eine andere Geschichte.

"Komm, wir spielen zusammen. Schau mal, ich werde für dich malen."

Um die Lippen des Bengels spielte ein unbestimmtes Lächeln. Wenn er in das helle Licht sah, nahmen seine Augen ein klares, helles Blau an. Wir saßen nebeneinander auf dem schwarzen Ledersofa. Ich nahm einige Zettel aus meiner Hemdtasche und sagte: "Einmal ich und einmal du."

Ich malte eine große Blume, einen noch größeren Apfelbaum und darunter einen kleinen Hasen mit riesigen Ohren. Die hellblauen Augen wurden dunkel und schauten nur mäßig interessiert auf meine Zeichnung. Er blinzelte, zeigte mir seine schiefen Zähne zwischen rosigen, fast roten Lippen und sah mich an. Seine Lippen öffneten sich weiter, fast in Richtung eines Lachens. Er war ganz ruhig. In seinem Lächeln kam das Gesicht eines erwachsenen Mannes hervor. Ich schaute in seine Pupillen und bemerkte eine spöttische Ruhe: Dieser kleine Mann spielte mit mir!

"Du bist dran", sagte ich zu ihm und hoffte, daß er zu den Buntstiften greifen würde.

"Was soll ich malen?"

"Ein Baby."

"Ich kann nicht. Wir haben kein Baby."

"Mal doch ein Kind mit Haaren, Zähnen und Ohren wie deine."

"Ich mag nicht!"

"Ich bring das Kind ins Bett!", sagte seine Mutter, nahm den Kleinen auf den Arm und trug ihn ins Kinderzimmer.

"Ich muß mal!" Sie ließ ihn vor der Toilettentür herunterklettern. "Mach schnell, bitte!"

Mit langem Gesicht goß sie Cognac in ihr Glas. Mit einem Schluck trank sie es aus. Sie küßte mich ganz wild. Wir preßten uns heftig aneinander. Ich wurde sehr unruhig, denn das Kind konnte jederzeit den Kopf aus der Toilettentür herausstecken.

"Bitte gedulde dich!", sagte sie und stand auf. Ich

ging zu der Stereoanlage neben dem Bücherregal und drückte die Taste. Das Kind war irgendwie immer noch nicht fertig. Ich winkte mit den Augen in Richtung Toilettentür, worauf sie ungeduldig, fast schon hysterisch ihr Kind rief:

"Komm raus! Ich kann nicht mehr." Sie riß die Tür auf und verschwand dahinter. Mit ihrem weinenden Sohn im Arm lief sie ins Kinderzimmer und schloß die Tür. Unterdessen wollte ich die Wohnung verlassen. Während sie sich bemühte, das Kind zum Schlafen zu bringen, hätte ich hinausgleiten sollen. Wenn sie mich dann nicht gefunden hätte, wäre sie bestimmt verrückt geworden. Ich konnte nicht abhauen, denn auch unser Handel wäre dann beendet gewesen. Ich legte eine Platte auf, zündete mir eine Zigarette an und schenkte mir Cognac nach. Die Hand, die das Glas hielt, zitterte deutlich. Ich hatte keine Kraft mehr, mit ihr zu schlafen. Ich wollte nicht mehr. Ich sah tausendfach das Bild des Kindes, wie es mich mit haßerfüllten Augen anstarrte. Meine Finger waren vom Tabak der Zigarette ganz gelb geworden. Die Kinderzimmertür ging auf, dann wieder zu und wurde leise abgeschlossen. Ich träumte, sie käme im Nachthemd zu mir.

"Warum hat es so lange gedauert?" Sie umarmte mich lächelnd und sagte:

"Verstehst du nicht? Er ist ein Mann. Ihr seid alle gleich!"

"Könntest du mir verzeihen, wenn ich weggehe? Kannst du mich gehenlassen?"

"Nein, ich lasse dich nicht. Diese Nacht werde ich es tun wie ein Mann."

Sie preßte mich an sich und tat mir mit ihren Zähnen weh.

"Komm, wir gehen runter."

"Was sollen wir unten?", wollte ich wissen.

"Willst du auch Klavier spielen?"

"Ich habe es meinem Mann versprochen." Sie nahm meine Hand und zog mich mit. Der Keller war einfach eingerichtet. In einer Ecke stand das Klavier, in einer anderen ein Wäschekorb, und an der Wand lehnten mit einer Plane abgedeckte Bilder.

Sie machte schnell ein Bett auf dem Boden zurecht. Dann zog sie sich aus und schlüpfte hinein. Sie zog die Decke ans Kinn und rief mich zu sich. Ich näherte mich ihr mit befremdlichem Gefühl.

"Bleib angezogen. Ich will dich ausziehen."

Das Bett war sehr kalt, aber ihr Körper war erhitzt. "Ich friere."

"Ich weiß, du willst nicht", sagte sie.

"Aber ich will es. Es muß sein."

Sie war auf mir. Ich sah ihre Brustwarzen: zwei blaue Augen. Ich deckte sie mit meinen Händen zu. Ich wollte schreien: "Das geht nicht!"

Ich schloß meine Augen. Nach einer langen Zeit stöhnte sie:

"Ich fliege, ich fliege!"

Dann sackte ihr Körper über mir zusammen. Die Schweißtropfen, die von ihrer Stirn kullerten, verteilte sie mit ihren Lippen auf meinem Gesicht.

Wir rauchten eine Zigarette und hatten den Blick zur Zimmerdecke gerichtet.

"Warum mußten wir unbedingt hier miteinander schlafen?"

"Ich sagte doch schon, ich habe es versprochen!"

"Wie ... versprochen?"

"Du bist wie ein Kind. Bevor er in Urlaub fuhr, hat er mir gesagt: 'Ich weiß, du wirst mit diesem jungen Maler schlafen. Aber nicht in unserem Bett!' Das habe ich ihm versprochen."

"Schon gut ... Was macht dein Mann eigentlich beruflich?"

"Er ist Rechtsanwalt, Spezialist für Familienrecht."

Ich wollte Pianist werden

Wenn er auf der Straße Menschen sah, die Selbstgespräche führten, war er irritiert. Manchmal, wenn er auf den Bus wartete, stand gerade neben ihm eine alte Frau oder auch ein junger Mann, deren Lippen ständig in Bewegung waren; dann wandte er sich barsch ab und kehrte ihnen den Rücken zu.

Tage- und monatelang beobachtete er Menschen, die mit sich selbst sprachen. Er traf solche, die sich anscheinend mit einem Unsichtbaren unterhielten, dabei nickten und gestikulierten.

Nach einigen Monaten konnte auch er selbst seine Gedanken nicht mehr bei sich halten, die aus seinem Innersten nach außen drängten. Aber gerade dann fand er niemanden, mit dem er reden konnte. Ein neues Gefühl begann in ihm aufzusteigen: Der Wunsch, wenn niemand bei ihm war, mit sich selbst zu lachen, zu reden oder zu schreien.

Um sich nicht von der Manie der Selbstgespräche anstecken zu lassen, preßte er seine Lippen ganz fest zusammen. Das einzige, was er noch sagte, war "Hm, hm".

Zuhause und in der Fabrik sprach er mit niemandem mehr. Wenn seine Kinder Taschengeld verlangten, sagte er: "Hm-ja", wenn seine Frau einen Wunsch äußerte: "Hm-nein".

In der Fabrik redete er acht Stunden lang kein Wort, stand nur an der Maschine und versuchte, noch mehr zu leisten. Wenn die Fräse gut lief, bekam er Lust, zu pfeifen; aber wenn er am Abend die Werkstücke zählte, dachte er, daß er zu wenig geschafft habe. Dann haßte er die Maschine, die Fabrik, die Kollegen, ... einfach alles.

Was hatte seine Frau kürzlich gesagt? "Was soll das; tagelang nur 'Hm, hm'? Kein Wort kommt aus deinem Mund. Die Kinder mögen sich daran schon gewöhnt haben, ich aber nicht! Wenn du schon nicht mit uns sprechen willst, dann geh' doch wenigstens zu deinen Freunden. Hauptsache, du redest."

"Hm, hm."

"Wenn du von der Arbeit kämst und fändest mich nicht zu Hause, würdest du doch verrückt, nicht wahr? Was willst du noch? Was soll ich machen? Ich gehe von sechs bis acht Uhr Büros putzen. Ich bringe jeden Monat dreihundertachtzig Mark nach Hause. Besser als nichts!"

"Hm, hm."

Gerade als die Nachrichten im Fernseher begannen, kam seine Tochter mit dem Staubsauger und fing an, den Teppich zu saugen. Sie beobachtete ihn aus den Augenwinkeln. Er warf ihr einen zornigen Blick zu und sprach das erste Mal seit Tagen: "Genug!"

Seine Tochter bediente mit der Fußspitze den Schalter des Staubsaugers. Der Lärm verstummte. Sie warf ihm nun ebenfalls einen zornigen Blick zu.

"Du arbeitest nur acht Stunden in der Fabrik. Hast du schon mal darüber nachgedacht, wieviele Stunden Mutter arbeiten muß? Und? Das geht so nicht weiter! Es kann nicht nur so gehen, wie du möchtest. Wenn ich von der Schule komme, kann ich nicht sofort im Haushalt helfen. Erst einmal Schularbeiten! Dann muß ich dem Kleinen bei seinen Schularbeiten helfen! Wenn dann noch Zeit ist, soll ich putzen. Aber das tue ich nur für Mutter! Ich will keine Hausfrau werden oder mein Leben lang in der Fabrik schuften!"

Ganz leise, fast unhörbar versuchte er zu sprechen: "Hm-hm ... genug ... ich verstehe." Ein paarmal noch vernahm seine Familie diese oder ähnliche Satzfetzen, dann verstummte er. Auch auf Fragen antwortete er nicht mehr. Kein Wort mehr strömte von seinen Stimmbändern.

Und wieder war seine Frau die Traurigste von allen. Von Tag zu Tag litt sie mehr unter diesem eisigen Schweigen. Beim Putzen der Büros flüsterte sie vor sich hin:

"Was ist er bloß für ein Mann? Er spricht nicht, er schreit nicht, er regt sich nicht auf, er lacht nicht, und ins Café geht er auch nicht mehr. Wir können niemand mehr zu uns nach Hause einladen. Nicht nur sein Mund, auch sein Körper bleibt verschlossen."

Wieder ein Tag, frühmorgens, und er preßte die sechs Kilo schwere Pleuelstange, die so kalt war, daß die Hände daran haften blieben, an die Platte.

Um sechs Uhr hatte seine Schicht begonnen. Gegen neun fing er an, das Tempo zu steigern. Seine Augen hingen konzentriert an der elektronischen Kontrolltafel. Zweieinhalb Minuten fräste und bohrte er an jeder Pleuelstange, schnitt Gewinde und Schraublöcher. Wenn er zum Kaffeeautomaten ging, war er mit drei Stangen im Rückstand. Wenn ein Kollege herüberkam und zehn Minuten redete: vier Stangen Rückstand. Wenn er die Toilette aufsuchte, kostete ihn das fünfzehn Minuten. Seine effektivste Zeit war zwischen acht und zwölf Uhr. In dieser Zeit durfte er keine Sekunde verlieren, mußte er hart arbeiten, um jede Minute zu sparen.

Wie jeden Tag in den vergangenen Wochen, so stellte er auch an diesem Tag eine präzise Zeitrechnung auf. Er verrechnete Plus und Minus miteinander, bis plötzlich an der Anzeigentafel der Maschine das rote Warnlämpchen zu blinken begann. Der hydraulische Fräskopf bewegte sich nach oben und kam nicht wieder herunter. Die Ölstandanzeige leuchtete auf. Nervös und ängstlich blickte er immer wieder zu dem aufblinkenden Licht.

Plötzlich löste sich seine Zunge: "Ich wollte Pianist

werden. Ich ... wollte Pianist werden!" Die Worte repetierend, blickte er auf seine zerfurchten Hände mit den kurzen, schwieligen Fingern. Er hörte sich selbst wie von außen sprechen: "Auch ich habe angefangen, zu mir selbst zu sprechen."

Er lachte leise, so daß es die Kollegen nicht merken konnten.

Er holte die Ölkanne und wandte sich dem hinteren Teil der Maschine zu. Dann füllte er dreißig Liter in die Hydraulik und drückte den entsprechenden Knopf. Das Warnlicht erlosch. Der Fräskopf sank müde auf die Pleuelstange runter.

Ja, er hatte verrückt gespielt. Er lächelte glücklich vor sich hin. Wie um seine Müdigkeit abzuwerfen, klatschte er abwechselnd vor dem Bauch und hinter dem Rücken in die Hände. Die Worte kamen nicht mehr aus ihm heraus, und er hörte auch nicht mehr seine eigene Stimme neben sich.

'Ich werde nicht mehr sprechen! Muß ich? Was geschieht, wenn ich nicht spreche? Es soll niemand in meine Wohnung kommen. Meine Wohnung, meine Wohnung, meine schöne Wohnung. Ich werde auch niemanden besuchen.

Ist es verrückt, nie wieder zu sprechen? Wenn ja, warum sagt man dann <Sehe, höre und schweige!>?

Ich habe die Nase voll vom Denken an die Wohnung, das Auto, das Geld, Geld, Geld, die Zukunft meiner Kinder... Ich habe die Nase voll! Wenn ich jemanden besuche, was bringt das schon? Es gibt keine hilfreichen Freunde mehr.

Wie hieß es vor ein paar Tagen: <Die Wäsche von drei Kindern bügeln, kochen, spülen, und dann noch deine Verrücktheit obendrein!>

Sie hat ja recht. Sie will auch niemanden mehr besuchen. Sie will mich auch nicht mehr dazu bringen, jemanden zu besuchen. In den letzten Tagen hat sie mich gerne verrückt genannt. Warum habe ich nicht darauf reagiert? Warum sage ich nicht: <Nenn mich

nicht verrückt!>? Warum betont sie das so: <... und deine Verrücktheit obendrein!>? Die Kinder waren auch dabei.

Gestern abend hat meine Tochter wieder absichtlich Staub gesaugt. Meine Lippen waren ständig in Bewegung. Aber weder sie hörte mich, noch hörte ich mich selbst. Wie geduldig sie mich angeschaut haben, Mutter und Tochter! Ich störe doch niemanden. Nein, von mir wird niemand mehr gestört.

Draußen kann ich zu irgendeinem sprechen und gestikulieren, der nicht da ist. Manchmal kann ich auch mit hochgezogenen Brauen fragen: <Na, ist es nicht so?> Dann kann ich mir antworten: <Ja, ja!> und dabei mit dem Kopf nicken. Ja, ja. Ich kann mit dem Kopf nicken und niemand hört es. Auch ich nicht!'

Der erste Tag

E s war im Jahre 1951. Aus Protest gegen die Inhaftierung von Nazim Hikmet hatte der Sowjetische Schriftstellerverband eine Versammlung nach Moskau einberufen. Damit wollten wir dem in seiner Heimat seit langen Jahren gefangengehaltenen berühmten Mann unseren Respekt und unsere Zuneigung erweisen.

Diese Versammlung mußte perfekt sein. Einer von uns hatte eine Eröffnungsansprache vorbereitet, einige junge namhafte Dichter planten Podiums-Lesungen ihrer Werke. Ein uns freundschaftlich gesonnener Maler wollte ein wandgroßes Portrait von Nazim Hikmet anfertigen. Wir hielten das Angebot für angemessen und freuten uns sehr über seine Idee. Sofort bemühten wir uns, eine Fotografie Nazim Hikmets aufzuspüren. Wir fanden jedoch nicht einmal das kleinste Paßbild. Endlich entdeckte einer von uns in einem Zeitungsarchiv eine alte, verblichene Aufnahme und gab sie dem engagierten Maler weiter.

Nach einigen Tagen waren unsere Vorbereitungen abgeschlossen. Da ich die Eröffnungszeremonie zu verantworten hatte, suchte ich den Versammlungssaal schon am Vormittag auf. Alles war bestens vorbereitet. Auf allen Tischen lagen kleine weiße Tischtücher, darauf standen irdene Vasen mit roten Nelken; auf der Bühne war ein Mikrofon installiert. Kurz und gut: Alles war perfekt. Für einen jungen Schriftsteller wie mich war die Organisation dieser Protestversammlung eine Herausforderung, die mich mit Stolz erfüllte.

An der Wand hing ein prächtiges Portrait in Öl, das Nazim Hikmet mit schwarzen Locken, schwarzen Augenbrauen, schwarzen Augen und dichtem schwarzen Schnurrbart darstellte. Ich trat ganz nah an das Bildnis heran und betrachtete verzückt den berühmten türkischen Dichter. Er war mit seiner äußeren Erscheinung ganz der Türke, den wir aus unseren Geschichtsbüchern kannten.

Sechs Monate nach dieser Versammlung hörten wir, daß Nazim Hikmet entlassen worden und nach Rumänien geflüchtet sei. In kurzer Zeit wolle er zu uns kommen. Wir erwarteten ihn mit Spannung.

Der Schriftstellerverband übertrug mir die Aufgabe, ihn zu empfangen. Ich verbrachte eine schlaflose Nacht. Ich war furchtbar aufgeregt, stolz und froh zugleich. Wenn Nazim Hikmet mich mögen würde, könnte ich vielleicht sein Sekretär werden. Eine Wohnung mit drei Zimmern war für ihn eingerichtet worden.

Ich werde niemals vergessen, wie er diese Wohnung betrat, kurz musterte, das Gesicht verzog und brummte: 'Ich kann nicht in dieser Wohnung leben!' Ich konnte mir beim besten Willen nicht vorstellen, was ihn an der Wohnung mißfallen könnte und fragte voller Sorge: 'Warum?' Er hob die Stimme: 'Jetzt, in der Nachkriegszeit, gibt es eine große Wohnungsnot. Ich kann diesen Luxus nicht ertragen! Geben Sie mir ein bescheidenes Zimmer, das reicht!' Ich erklärte ihm, daß er ja länger bleiben könne, und daß er sicherlich auch oft Besuch bekäme, schließlich, daß ich auch in einem Zimmer arbeiten würde und daß wir wirklich geglaubt hätten, er könne sich in dieser kleinen Wohnung wohlfühlen.

Er sah aus dem Fenster.

'Können wir nach draußen gehen, Bruder? Ich möchte gerne auf die Gorkistraße.'

Ich schlug vor, daß er sich erst einmal ausruhen solle.

'Nein, nein, ich bin nicht müde', bekam ich als

energische Antwort zu hören. Auf der Straße sah ich, wie er das Gesicht verzog und humpelte. Meine besorgte Frage beantwortete er mit der Bemerkung: 'Ich mußte Rumänien überstürzt verlassen und konnte deshalb nur Schuhe bekommen, von denen einer eine Nummer zu klein ist.' Ich wollte ihn sofort in ein Schuhgeschäft führen. Aber wieder lehnte er ab: 'Ich habe kein Geld!'

Mit einiger Mühe versuchte ich ihm zu erklären, daß für ihn Geld gestiftet worden war. Nach einer längeren Debatte kauften wir dann endlich ein Paar Schuhe, in denen es seine Füßen bequemer hatten.

Auf der Gorkistraße zeigte er mir die Museen und Parks, so, als ob ich der Gast sei. Er kannte sich in Moskau wirklich sehr gut aus. Aber halt, ich habe ganz vergessen zu erzählen, was sich damals am Flughafen zugetragen hat. Ich werde wohl langsam alt ...

Zwei Stunden vorher bin ich zum Flughafen gefahren. Berühmte Dichter, Schriftsteller, Künstler, Fotografen, Studenten und ein Pulk von Journalisten füllten die Wartehalle. Die Gesichter der Wartenden zeigten Ungeduld und freudige Erwartung. Mit einer von höchster Stelle abgezeichneten Sondergenehmigung durfte ich auf das Rollfeld gehen und ihn am Fuß der Gangway empfangen.

Das Flugzeug landete mit einstündiger Verspätung. Da ich damals noch ein stürmischer junger Bursche war, legte ich den Weg zum Flugzeug im Laufschritt zurück.

Aufmerksam suchte ich unter den aussteigenden Passagieren das Gesicht mit den schwarzen Locken, wie ich es mir sechs Monate zuvor eingeprägt hatte. Es stiegen immer mehr Menschen aus, aber Nazim Hikmet war nirgends zu sehen. Gerade als die meisten Passagiere die Maschine verlassen hatten, zeigte sich ein Mann, dessen Gesicht genau wie auf dem Portrait aussah, jedoch hellbraune Locken und - dies erkannte ich trotz der Distanz zwischen uns - blaue Augen hatte und sich suchend umblickte. Verblüfft eilte ich ihm entgegen. Er lächelte und sagte auf Russisch: 'Hallo, Bruder!' Dann umarmte er mich. Ja, wir umarmten uns wie Brüder. Und ich war immer noch sprachlos vor Verblüffung."

Diese Geschichte, die Sie gerade gelesen haben, ist wirklich so geschehen. Wladimir hat sie mir in seiner Moskauer Wohnung erzählt. Im Jahre 1987. Im Monat Mai.

Nachdem er seine Erzählung beendet hatte, lachte er lange. Ich aber war sehr betrübt. Nachdenklich starrte ich aus dem Fenster auf die kleinen Lichter in der ansonsten dunklen Stadt. Die Mordpläne gegen Intellektuelle, nicht enden wollende Verfolgungen durch die Polizei, widerwärtige Bedrohungen, Verleumdungen, Ausbürgerungen, Bücherverbote, Vernichtung von Filmen ... warum geschieht das alles immer in meiner Heimat?

Und dann: Der weltberühmte Dichter Nazim Hikmet. Unauffindbare Fotos. Ein Paar Schuhe unterschiedlicher Größe. Geldmangel. Moral. Die Moral eines großen Dichters!

Als wir unseren Kaffe getrunken hatten, stand Wladimir auf: "Du wirst sehr müde sein; ich zeige dir dein Bett."

In einem mit Bänden vollgestopften Zimmer hing an der Wand eine Schwarz-Weiß-Fotografie von Nazim Hikmet. Handschriftlich waren darauf die Worte 'Hallo, Wladimir!' vermerkt, darunter seine Unterschrift.

Ich lag im Bett. Meine Augen waren noch geöffnet. Etwas später kam Wladimir, eine Wolldecke im Arm, herein.

"Heute ist dein erster Tag in Moskau. Moskauer Nächte sind kalt. Die Decke ist ein Geschenk von Nazim zu meiner Hochzeit. Schlaf gut!"

"... Meine Augen sind offen. Mir gegenüber hängt

das Schwarz-Weiß-Foto eines blauäugigen Riesen. Schlaf gut!"

Inhalt